ONOMKEERBAAR

Van Greetje van den Berg verscheen onder andere:

Het einde van later
Droomprins
Vogel in de storm
Onzichtbare draden
Zomeravond

Greetje van den Berg

Onomkeerbaar

Spiegelserie

Zomer &Keuning

ISBN-10: 90 5977 166 4
ISBN-13: 9789059771666
NUR 344

www.spiegelserie.nl

Omslagontwerp: Bas Mazur
©2007 Zomer & Keuning familieromans, Kampen

1

DE BADKAMER VAN DE GROTE WOONBOERDERIJ VAN MENNO EN
Yvonne Fynvandraadt was licht en ruim. De spiegelwand achter de
twee witte wastafels accentueerde dat nog eens. Ze zag zichzelf toen
ze uit bad stapte, haar naakte lichaam met de grote, hardroze bad-
handdoek afdroogde en zich toen zorgvuldig met bodylotion
insmeerde. In het licht van de lamp glansde haar blanke huid. Door
het openstaande bovenraam streek de frisse februarilucht liefkozend langs haar rug. Met langzame halen borstelde ze haar krullen-
de rode haren. Ooit hadden ze tot onder aan haar rug gehangen. Op
haar dertigste had ze er rigoureus de schaar in laten zetten. Al vijf
jaar lang hing het net over haar schouders. Ze huiverde en sloeg een
badjas om zich heen. Staande bij de linker wastafel poetste ze haar
tanden en bestudeerde ze haar gezicht. Haar lichte huid zou in de
zomer weer bezaaid zijn met koperkleurige sproeten, die zich nu
nog verborgen hielden. Ze spoelde haar mond, bracht een nacht-
crème op haar gezicht aan. Naast haar ogen waren fijne rimpeltjes
gekomen, maar haar huid was nog zacht. Voor de vijfendertig jaren
die ze telde, was ze nog altijd een mooie vrouw. Ze liet de badjas
weer van haar schouders glijden en pakte het fraaie, glanzende
nachthemd dat over de verwarming hing. Op de wastafel waaraan
Menno altijd zijn tanden poetste, lag het dopje van de tandpasta op
de rand. Geërgerd schudde ze haar hoofd, draaide het dopje op de
tube en plaatste het op het planchet. Daarna was ze haar irritatie
alweer vergeten. Nog een keer wierp ze een blik op haar slanke
figuur, depte snel parfum achter haar oren en liep verwachtingsvol
naar de slaapkamer. De maan scheen door de dunne rolgordijnen
naar binnen. Duidelijk zag ze het hoofd van Menno op zijn kussen.
Ze glipte tussen de dekens, bleef even op haar zij liggen met haar
hand onder haar hoofd en keek naar zijn achterhoofd. Ze riep zijn
naam, schoof dichter naar hem toe. Het leverde geen reactie op.
Toch was ze ervan overtuigd dat hij nog niet sliep. Zachtjes boog ze
zich voorover, kuste zijn nek, volgde met haar lippen de lijn van zijn

kaak, streelde met haar neus zijn wang. Hij kreunde en draaide zich op zijn rug. Zonder bril leek hij altijd anders, alsof hij Menno niet was.

'Wat doe je?' wilde hij slaperig weten.

Ze glimlachte, antwoordde niet, maar kuste hem op zijn mond. 'Ik heb je zo gemist vanavond.'

Hij draaide zijn gezicht af. 'Ik ben moe. Het was een vermoeiende bijeenkomst. Al die mensen die hun zegje wilden doen naar aanleiding van het feit dat we Franssen hebben geschorst. Er zijn zelfs mensen die zich afvragen of hun kinderen wel veilig zijn op mijn school. Ze lijken ervan uit te gaan dat iedere docent nu een verhouding met een leerling begint.'

'Ik kan me voorstellen dat ze geschokt zijn. Edward Franssen is vierenveertig, en dat meisje is net achttien geworden.'

'Maar daarom hoef je toch niet te denken dat het hele lerarenkorps zo'n jonge geliefde wil.'

'Heb je hen gerust kunnen stellen?'

'Ik heb gezegd dat we zelf erg teleurgesteld waren in Edward, en dat hij nooit meer een voet in onze school mag zetten. Uiteraard heb ik beloofd dat we zo'n verhouding in de toekomst zullen proberen te voorkomen, maar mensen zijn mensen en soms zijn ze onberekenbaar. Ik durfde hun niet te beloven dat het nooit meer voor zal komen.'

'Uiteindelijk zijn al die ouders tevreden naar huis gegaan. Menno Fynvandraadt heeft het weer keurig opgelost.' Ze glimlachte en streek zijn dunne haren naar achteren.

'Doe me een plezier en laat me nu slapen.' Geërgerd schoof hij haar hand aan de kant. 'Ik ben echt doodop, en morgen is er gewoon weer een nieuwe dag.'

Even viel er een stilte. Ze zag hoe hij zijn ogen sloot en verlangde naar hem.

'Hoelang hebben we al niet gevrijd?' wilde ze weten.

'Toch nog niet zo lang geleden?' Hij draaide zijn rug naar haar toe. 'Kun jij je het nog herinneren?'

'Ik heb het niet in de agenda gezet.'

Met haar hand streelde ze zijn nek. Hij trok zijn schouders op. 'Wat mankeert er aan me?' informeerde ze.

'Wat is dat nu voor rare vraag?'

'Je bent niet meer in me geïnteresseerd. Elke avond lig je naast me en nooit zul je me spontaan eens aanhalen.'

'Je weet zelf dat ik lange, vermoeiende dagen maak. Jij bent overdag thuis.'

'Omdat jij dat zo graag wilt.'

'Ik vind het belangrijk voor Constantijn dat er iemand is wanneer hij uit school komt. Hij is altijd maar alleen. Het zou heel anders zijn als hij broertjes of zusjes zou hebben.'

'Jij vond één kind toch genoeg.'

Opnieuw een zucht. Hij reageerde niet meer. Zijn rug leek zich te verbreden tot een onneembare vesting. Onbereikbaar leek de man die ze dertien jaar geleden met zo veel liefde trouwde. Nederlands en geschiedenis gaf hij op de middelbare school waar zij als pas afgestudeerde docente trachtte haar kennis van de Duitse taal over te brengen. Nauwelijks ouder dan haar leerlingen kampte ze met onzekerheid, had moeite met de aversie die sommige jongeren ten opzichte van de Duitse taal tentoonspreidden. Haar liefde voor Goethe, Schiller en Brecht kon daar niets aan veranderen. De poëzie van Rainer Maria Rilke scheen niemand zo in het hart te kunnen raken als haar. Al kort na haar aanstelling was ze haar enthousiasme en idealisme kwijtgeraakt. Menno werd de man bij wie ze haar hart uitstortte. Voor hem declameerde ze gedichten van Rilke, hij sprak met haar over Achterberg. In het begin bleef het daarbij, maar langzaam waren ze steeds meer van elkaar te weten gekomen. Ze had zich erop betrapt dat ze verlangde naar het einde van de vakanties, van de weekenden, van alle dagen waarop ze hem niet trof. Op een dag vertelde hij dat zijn verloofde hem had verlaten. Hij verzuimde te vertellen dat zij de reden van hun breuk was. Dat had ze pas veel later gehoord, kort voordat ze trouwden. Tweeëntwintig jaar was ze toen geweest. Menno was tien jaar ouder. Een jaar later werd hun zoon geboren. Menno was toen net aangenomen als conrector op een scholengemeenschap in Goes. Ze verhuisden van Zwolle naar Goes. Menno had het beter gevonden als ze een tijdje niet zou werken, zodat ze alle tijd voor Constantijn zou hebben. Na twee jaar was zij over gezinsuitbreiding begonnen, maar Menno had er niet van willen horen. Hij studeerde en werkte hard. Zijn verweer bestond erin dat een baby hem zou afleiden, en bovendien was hij daardoor ook niet in staat de vaderlijke taken op zich te nemen die van hem verwacht werden. Voor Constantijn wilde hij een goede vader zijn. Als er meer kinderen zouden komen, zou dat betekenen dat hij zijn zoon tekort zou doen. Het ontbrak haar aan moed om daartegen in te brengen dat hij zijn zoon allang tekortdeed. Bovendien kondigde zich opnieuw een verhuizing aan. Menno had een baan als conrector aan een scholengemeenschap in Utrecht geaccepteerd. Voor niemand kwam zeven jaar later zijn aanstelling als rector van een scholengemeenschap in Emmeloord als een verrassing. Trots had hij haar door 'zijn school' geleid, haar verteld dat er meer dan duizend leerlingen op 'zijn school' zaten en dat hij in de komende tijd wilde bijdragen aan nog meer groei. Het was hem gelukt. Het christelijke IJsselmeer College had vlak voor de zomervakantie zijn vijftienhonderdste leerling kunnen inschrijven. Bij een beoordeling door een opinieblad belandde de school in de hoogste regionen. Dit jaar stond er nieuwbouw op het programma. De verhouding tussen de oudere leraar en zijn jonge leerlinge was op een heel slecht moment naar buiten gekomen. Menno had meteen maatregelen genomen: de leraar was geschorst, de leerlinge had mogen blijven. Zorgvuldig had hij vandaag de bijeenkomst voor ouders voorbereid. 'Zijn school' was voorlopig weer gered. Voor hem was dat het belangrijkste.

Hoe lang was het geleden dat ze over Rilke en Achterberg hadden gepraat? Wanneer had hij voor het laatst tegen haar gezegd dat hij van haar hield? Het was tijden geleden dat ze samen uit eten waren geweest. Nooit had hij tijd voor Constantijn om als vader en zoon iets te ondernemen. Plannen voor de nieuwbouw hadden hem beziggehouden. 'Zijn school' moest een school zijn waarover gesproken werd. Menno had maar één grote liefde: het IJsselmeer College!

2

YVONNE SCHOOF HET ZWARE GORDIJN VAN DE PASKAMER AAN DE
kant, deed een paar aarzelende stappen de winkel in en ging voor
de spiegel staan. 'Wat vind je ervan?' wilde ze weten.
'U hebt er precies het goede figuur voor,' dweepte de verkoopster.
'Truttig,' was het ongezouten commentaar van zus Jacqueline. 'Je
lijkt er tien jaar ouder in.'
'Nou, dat valt toch wel mee,' meende de verkoopster.
'Absoluut niet.'
Yvonne moest in stilte lachen om de eerlijkheid van haar twee jaar
jongere zus. Ze keek naar zichzelf in de spiegel. De verkoopster had
gelijk. De smalle, crèmekleurig jurk viel slank rond haar figuur en
had een keurige lengte van net onder de knie. Jacqueline had nog
meer gelijk. Het was alsof ze naar een ander keek. De jurk paste niet
bij haar.
'Ik ga iets anders voor je zoeken,' kondigde haar zus aan.
'U hebt mij niet nodig?' wilde de verkoopster weten. Met een zoet-
sappige glimlach deelde Jacqueline mee dat ze zich wel zouden redden. Nadat de verkoopster zich om een ander slachtoffer bekom-
merde, stak ze haar tong naar Yvonne uit. 'Kruip maar weer in je
pashok, zusje. Ik zorg voor een lekkere vlotte outfit.'
Waarom hadden pashokjes altijd van dat koude, witte licht? De
spiegel onthulde al haar onvolkomenheden. Haar bleke gezicht,
putjes in haar bovenbenen, te zware heupen, striae die ze had overgehouden aan haar zwangerschap van Constantijn. Geen wonder
dat Menno zich steeds meer met de school was gaan bezighouden.
Dat gebouw werd tenminste alleen maar mooier met de jaren.
'Wat vind je hiervan?' Jacquelines arm reikte om het gordijn. 'Dat
bruin van het jasje staat mooi bij je haren, en die bloes in oranje-
tinten staat daar perfect onder.'
'Er zit een broek bij,' weifelde Yvonne.
'Zonder broek loop je voor gek.'
'Kind, houd op. Je begrijpt best wat ik bedoel. Menno heeft niet

graag dat ik bij officiële gelegenheden in een broek kom aanzetten.'
'Menno zal er toch niets op tegen hebben dat zijn vrouw iets draagt waarin ze zich lekker voelt?'

Yvonne zuchtte. Jacqueline had altijd problemen met Menno gehad, en die gevoelens waren geheel wederzijds.

'Trek het nou eens aan. Ik doe het niet om Menno te pesten.' Jacqueline leek haar gedachten geraden te hebben. 'Doe me een plezier en pas het gewoon eens. Daarna mag je zeggen wat je ervan vindt. Jij moet het straks dragen. Menno niet. Geef mij die vreselijke jurk maar. Mamma zou die kunnen dragen. Hij is op z'n minst voor vijftigplussers, en dan druk ik me nog heel voorzichtig uit.'

Met een glimlach trok Yvonne de bloes aan, de gladde bruine broek en het korte jasje. In het harde licht van het pashokje ontdekte ze al dat ze er nu veel beter uitzag dan in die lichte japon. Waarschijnlijk had Jacqueline gelijk, en was het veel belangrijker dat zij zich straks prettig voelde in de kleding die ze droeg. Menno liet haar altijd duidelijk merken dat hij haar het liefst in een jurk zag. In het dagelijks leven trok ze zich daar weinig van aan, maar met bijzondere gelegenheden hield ze er wel degelijk rekening mee. Ze vond het prettig als ze merkte dat hij trots op haar was. Jacqueline was, wat dat betreft, heel anders. Uiterlijk hadden ze veel van elkaar weg. Allebei dat koperkleurige haar met die lichte huid maar Jacqueline droeg het haar nog steeds tot op haar rug. Hun echtgenoten waren evenmin met elkaar te vergelijken. Menno, die carrière wilde maken en daarbij niets aan het toeval overliet. Floris, die steeds weer wilde plannen had, die nieuwe dingen ondernam zonder die ooit tot een goed einde te brengen. Al jaren had hij geen vaste baan meer. De erfenis die hij na de dood van zijn ouders had ontvangen, had Jacqueline en hem in staat gesteld een eenvoudige woning te kopen. Daarnaast schilderde Jacqueline niet onverdienstelijk. Rijk zouden ze daar niet van worden, maar haar werk werd steeds meer gewaardeerd. Steeds vaker werden haar schilderijen verkocht. Ze leken veel ontspannener te leven dan Menno en zij. Misschien had dat te maken met het feit dat hun huwelijk kinderloos was gebleven. Ze leefden bij de dag. Het was Yvonne bekend dat er tijden waren dat Jacqueline er moeite mee had rond te komen. Af en toe stopte ze haar jongere zus dan iets toe, maar meestal wilde ze daar niets van weten. 'Ik verhonger nog niet, kan de hypotheek en de stookkosten nog betalen,' wimpelde ze de hulp af. 'Meer heeft een mens niet nodig. Juist die mindere tijden stimuleren mijn creativiteit. Op een of andere manier raak ik dan meer geïnspireerd. Maak je dus over ons maar niet druk.' Floris leek dezelfde mening toegedaan. Menno vond het een asociale manier van leven. Ook zij kon zich nauwelijks voorstellen dat er mensen waren die onder dergelijke omstandigheden konden leven. Zekerheid en voorspelbaarheid waren de pijlers waarop haar leven rustte.

'Nou, wat heb ik je gezegd?' riep Jacqueline triomfantelijk uit toen ze het gordijn van de paskamer opzijschoof. 'Dit past bij je. In die jurk van net lijk je een grijze muis. In dit pak word je gezien, en je bent de moeite waard om gezien te worden.'

'Houd op!' Ze wist precies hoe haar jongere zus kon doordraven tot het werkelijk gênant werd. Ze keek naar de verkoopster, die met enige tegenzin moest toegeven dat de kleuren haar prima stonden. 'Dan moet het dat maar worden,' hakte ze resoluut de knoop door, en ze verdween opnieuw in het pashok.

Een halfuur later hadden ze een gezellige gelegenheid gevonden om te lunchen. De ober glimlachte naar haar toen hij haar de kaart aanreikte. Ze kleurde irritant.

'Hij vindt je leuk.' Jacqueline ontging niets.

Ze boog zich over de kaart. 'So what?'

'Misschien moet je eens wat meer van jezelf overtuigd zijn.'

'Gaan we die kant weer op?'

'Ik wil gewoon dat het tot je doordringt dat je de moeite waard bent.'

'Omdat een ober naar me lacht?'

'Je weet best wat ik bedoel.'

'Het interesseert me niets of zo'n man me nu aantrekkelijk vindt of

niet. Ik ben ook nog eens getrouwd, zoals je weet.'
'Ja, dat zal ik niet licht vergeten. Volgens mij is niemand zo getrouwd als jij. Het is Menno voor en Menno na. Dringt het wel eens tot je door dat er ook nog een Yvonne bestaat. Yvonne Fynvandraadt, geboren Lura?'
'Ik kan doen en laten wat ik wil. Menno heeft een prima baan en daarvan kan ik gezellig een dag weg zoals vandaag.'
'Jij hebt ook ooit een prima baan gehad.'
'Ik ben destijds voor Constantijn gestopt.'
'Hij is inmiddels twaalf jaar. Nog zo'n halfjaar, dan gaat hij naar het voortgezet onderwijs. Jij bent docent. Dat is toch prima te combineren met de schooltijden van Constantijn.'
Ze wilde niet zeggen dat Menno het niet zou waarderen als ze zou besluiten te gaan werken. Dat was Jacqueline bekend, en het zou opnieuw een hele preek uitlokken.
'Waarom houd je Menno altijd de hand boven het hoofd?' wilde haar zus nu weten.
'Dat is geen kwestie van de hand boven het hoofd houden.'
'Jawel, en dat weet je zelf heel goed. Als ik met jou een dagje wegga, is het net alsof Menno nog tussen ons in blijft zitten. Dertien jaar zijn jullie nu getrouwd, en langzaam maar zeker heeft hij helemaal bezit van je genomen. Je durft geen enkele beslissing te nemen zonder Menno daarin te kennen.'
'Het is goed dat je met elkaar overlegt.'
'Dat ben ik met je eens. Floris en ik doen ook niet alles op eigen houtje, maar er is wel verschil tussen iets met elkaar overleggen en helemaal niets zonder de instemming van de ander durven te doen. Jij hebt altijd met heel veel plezier gewerkt. Waarom wil Menno je dat ontnemen?'
'Je weet best hoe het is gegaan. Door die verhuizingen is het er nooit meer van gekomen ergens een baan te zoeken.'
'Toch moet het helemaal niet zo moeilijk zijn als lerares Duits werk te vinden.'
'Ik ben tevreden met mijn leven zoals het nu is.'

'Dat geloof je toch zelf niet.'

Ineens irriteerde dat belerende toontje van haar jongere zus haar verschrikkelijk. 'Als je zo door blijft gaan, wil ik naar huis,' viel ze uit. 'Ik vind het heel vervelend als je me steeds de les begint te lezen. Ik moet van jou altijd alles aannemen, maar andersom luister je nooit naar mij. Je gaat gewoon je eigen gang.'

'Onzin. Ik neem meer dan eens jouw raad aan.'

'Je wilt vaak niet eens een kleine tegemoetkoming van me aannemen.'

'Omdat ik mezelf heel goed kan redden.'

'Ik kan mezelf ook heel goed redden.'

De ober stond ineens naast hun tafeltje. 'Hebben de dames al een keuze kunnen maken?'

'Een Italiaanse bol met zalm en mosterdsaus.' Jacqueline sloeg het menu dicht waarin ze nog geen woord had gelezen.

'Ik wil graag hetzelfde.' Yvonne overhandigde de kaart aan de ober. Ze bloosde tot haar ergernis opnieuw toen hij naar haar glimlachte, en vermeed de spottende blik van Jacqueline.

Van buiten klonk het geluid van een tractor op de akker naast het huis. Het vroege voorjaar behoefde maatregelen die ervoor moesten zorgen dat er in het najaar weer geoogst zou kunnen worden. Binnen drong het monotone gebrom van de zware motor door naast het geluid van bestek op borden, messen en vorken die krasten en tikten. Menno legt zijn bestek neer en leunt achterover.

'Heeft het gesmaakt?' wilde ze weten.

'Natuurlijk heeft het gesmaakt.'

'Neem dan nog wat.' Zelf draaide ze de spaghetti handig om haar vork en werkte de hap voorzichtig naar binnen. Ze glimlachte naar Constantijn. 'Ik heb vanmiddag nog een leuk shirt voor je gezien. Volgens tante Jacqueline paste het goed bij je, maar ik durfde het toch niet mee te nemen. Stel je voor dat jij er zelf anders over zou denken.'

'Joh, haal je ellebogen van tafel,' maande Menno hem.

'Misschien kunnen we samen nog eens naar Zwolle gaan,' stelde ze voor.

'Mij best.' Constantijn zoog een sliert spaghetti naar binnen.

'Denk aan je tafelmanieren,' meende Menno hem opnieuw terecht te moeten wijzen.

'Wanneer wil je dan gaan?' Constantijn negeerde de opmerking van zijn vader, draaide nog eens te veel spaghetti om zijn vork.

'Zaterdag misschien ...' Ze weifelde en keek naar Menno. 'Of heb je dan andere plannen?'

'Ga gerust.'

Haar bord was leeg. Ze schoof het een eindje van zich af en wachtte totdat Constantijn klaar was. 'Zijn jullie al begonnen met de repetities voor de musical?' wilde ze weten.

Hij knikte.

'Je moet nogal een lap tekst leren. Als je wilt dat ik je ermee help, moet je het me maar laten weten.'

'Ik heb nog een hele tijd om het in te studeren.'

'Dat denk je. Voordat je het weet, is het zo ver. Je kunt er niet vroeg genoeg mee beginnen, ook al omdat je een van de hoofdrollen hebt.'

Hij stak de enorme hap in zijn mond. Slierten hingen langs zijn kin. Menno zweeg wijselijk. Zij deed of ze het niet zag en vervolgde: 'Ik vind het gewoon onvoorstelbaar dat je na de zomervakantie werkelijk naar het voortgezet onderwijs gaat. De tijd gaat zo snel.'

Liefkozend wilde ze haar hand op de zijne leggen, maar hij trok hem snel terug en ze besefte dat hij niet langer het kind was dat ze gekoesterd had. Steeds meer zou hij zich de komende jaren van haar terugtrekken. Zo hoorde het te gaan, ze wist het, maar op dit moment trof die ontdekking haar pijnlijk. Ze zou willen vasthouden wat er altijd was geweest.

Ze stond op, stapelde de borden en nam ze mee naar de keuken. Uit de koelkast pakte ze een pak vruchtenyoghurt en verdeelde de inhoud over drie dessertschaaltjes.

'Jij zult dat ook wel hebben,' merkte ze op tegen Menno. 'Je ziet die kinderen eerst als brugpiepers de school binnenkomen en voordat je het weet, staan ze vooraan in de aula om hun diploma in ontvangst te nemen.'

Menno haalde zijn schouders op, boog zich over z'n schaaltje en begon te lepelen. 'Zoals je bekend is, heb ik niet zo'n band meer met de leerlingen,' verklaarde hij na drie happen. 'Vroeger wist ieder kind wie de rector was. Ik herinner me nog dat de rector van mijn school elke leerling kende. Als je de klas uit gestuurd werd, moest je ook naar hem toe. Dat droeg er zeker aan bij dat je een groot respect voor hem had.' Opnieuw nam hij een hap. 'Gelukkig gaat dat tegenwoordig heel anders. Ik zou er geen tijd voor kunnen vrijmaken. De moderne rector kun je meer als een manager beschouwen. Ik moet lijnen uitzetten en de koers aangeven.' Hij had het haar al vaker verteld, maar elke keer werd hij weer enthousiast. Nu legde hij zijn lepel neer, probeerde haar en Constantijn de inhoud van zijn functie nog eens te verduidelijken. 'Tegenwoordig is het belangrijk de school duidelijk te profileren, goede contacten te leggen en het team aan te sturen. Een functiebeschrijving van een hedendaagse rector ziet er heel anders uit dan die van een rector in onze jeugd. Uiteraard zie ik in de school de leerlingen voorbijkomen. In de wandelgangen hoor ik ook nog wel eens iets, en tijdens teambijeenkomsten hoor ik wel of er problemen zijn en op welk vlak die liggen.' Ze keek naar Constantijn, die het verhaal van zijn vader geïnteresseerd aanhoorde. Menno zette zijn verhaal kracht bij met gebaren. 'Uiteindelijk moet ik er natuurlijk zijn als leerlingen en hun ouders me nodig hebben, maar in de praktijk komt dat niet veel voor.'

'Ik kan me niet voorstellen dat je dat nooit mist.' Ze roerde door haar schaaltje, keek naar Constantijn die het zijne leegschraapte.

'Het is in de loop der jaren zo gegroeid. Als docent was het vanzelfsprekend dat je zo veel mogelijk van de leerlingen wist; als conrector blijft dat zo, maar als rector heb je zo veel andere bezigheden.'

'Ik mis het,' merkte ze op.

'Wat mis je?' Hij nam zijn lepel weer in de hand.

'Het contact in de klas met de leerlingen. Soms vond ik het moeilijk, maar als ik terugkijk, zie ik vooral de leuke dingen.'

'Je idealiseert die tijd.' Hij nam een hap. 'Bovendien is er in de loop der jaren het een en ander veranderd. Ik zie hoeveel docenten van mijn school moeite hebben met die veranderingen. De leerlingen zijn nog mondiger geworden. De lesstof is minder uitdagend. Veel vakken zijn volkomen uitgehold. Kijk eens naar het aantal boeken dat leerlingen voor hun eindexamen nog moeten lezen. Daar zijn geen klassieke werken meer bij.'

'Ik ben echt wel op de hoogte van de veranderingen. Het lijkt mij dan een uitdaging er toch nog iets van te maken.'

'Dat idealisme verdwijnt meteen als je geconfronteerd wordt met de vernieuwingen van de laatste jaren. Leerlingen zitten bovendien helemaal niet op jouw idealisme te wachten.'

'Wil je weer graag gaan lesgeven?' Constantijn keek haar trouwhartig aan. 'Ik zou het best gaaf vinden Duits van je te krijgen.'

'Vergeet dat maar,' kapte Menno die gedachte meteen af.

'Toch zou ik weer graag aan het werk willen,' bekende ze hem. 'Er zijn meer scholengemeenschappen dan het IJsselmeer College. Waarom zou ik elders niet aan het werk kunnen? Constantijn gaat na de zomervakantie naar het voortgezet onderwijs. Hij is groot genoeg om af en toe eens voor zichzelf te zorgen.'

Constantijn knikte, maar Menno leek het niet te zien. Ontstemd schraapte hij zijn schaaltje leeg en leunde achterover.

'Houd toch eens op. Je bent vandaag weer met je zus weg geweest. Jacqueline weet je altijd op te jutten. Wees toch blij dat je niet hoeft te werken. Ik zie die werkende moeders bij mij binnen het docententeam ook wel, en ik kan me nauwelijks voorstellen dat ze zich met de situatie gelukkig voelen. Ze zijn altijd opgejaagd, moeten van alles regelen. Die kunnen er niet zo een dagje tussenuit om eens lekker met hun zus te winkelen. Zie daar toch eens de voordelen van in. Jij kunt weg wanneer je wilt, en bovendien heb je financieel ruimte genoeg om voor jezelf iets nieuws aan te schaffen. Mij hoor je daar niet over. Integendeel, ik juich het toe.'

'Het lijkt me heerlijk weer een inkomen van mezelf te hebben,' bracht ze er koppig tegen in. 'Winkelen heeft geen uitdaging, maar het overbrengen van de Duitse taal op een stel onwillige pupillen wel. Dat wil ik, Menno. Ik ben er een poos uit, maar ik weet zeker dat ik gemotiveerd genoeg ben om mijn werk weer op te pakken.'

Hij zuchtte en keek demonstratief op zijn horloge. 'Daar moeten we een andere keer nog maar eens over praten. Ik moet er zo vandoor. Om half negen ben ik uitgenodigd om mijn werkzaamheden aan de ouderraad toe te lichten, maar ik heb ook nog wat andere zaken op school te regelen. Zullen we danken?'

Zonder op antwoord te wachten vouwde hij zijn handen en draaide zijn dankgebed af. De woorden waren haar bekend, elke avond zei hij hetzelfde, als een automaat die geen andere tekst kende.

Na het 'amen' stond hij meteen op. Constantijn hoorde meer dan eens dat 'amen' geen startschot was, maar het leek voor hemzelf niet te gelden. 'Ik ga me opfrissen.' Opnieuw keek hij op zijn horloge, en beende met lange stappen naar de deur.

In de loop der jaren was hij weinig veranderd. Nog altijd was hij slank. Zijn haar was weliswaar dunner geworden, en hij was een bril gaan dragen, maar op sommige momenten herkende zij in hem nog altijd de man op wie ze eens verliefd was geworden. Ze kon intens naar die man verlangen, maar steeds leek hij als zand tussen haar vingers door te glippen. Waarom kon ze hem niet vast blijven houden?

'Zo eindigt elk gesprek,' hoorde ze Constantijn zeggen, en ze schrok van de klank in zijn stem. Haar zoon was pas twaalf. Een jongen van twaalf hoorde zo niet over zijn vader te praten.

'Pappa heeft het gewoon druk,' probeerde ze nu Menno's handelwijze te vergoelijken.

'Pappa heeft het altijd druk.' Hij snoof laatdunkend, stond ook op. 'Zal ik de tafel maar afruimen?'

'Ik help je.'

Boven kierde de douchedeur weer open. Ze hoorde zijn voetstappen in de richting van de slaapkamer gaan. Even later klonken ze op de treden van de trap. Hij stak zijn hoofd om de deur. 'Kijk eens, wat een teamgeest. Zo mag ik het zien. Samen aanpakken maakt elk karwei lichter.'

Hij drukte haar een kus op de mond. Ze had de neiging haar gezicht van hem af te wenden, maar wist zich nog net te beheersen. 'Als het laat wordt, ga je maar gerust naar bed.' Woorden die hij al zo vaak gesproken had. Ze leken een vast onderdeel van zijn afscheidsgroet. Constantijn kreeg een aai over zijn bol. Daarna was hij verdwenen, en daarmee leek het huis ineens verlaten. Ze staarde hem na, terwijl Constantijn gewoon doorging met het afruimen van de tafel. Met snelle stappen beende hij over het erf in de richting van de garage. Even later zag ze de auto draaien; ze hoorde de claxon en zag zijn arm die nog even de hoogte in werd gestoken voor hij veel te snel het erf van hun fraai verbouwde boerderij af reed. Ze wachtte tot de auto uit het zicht was verdwenen en wist zeker dat ze zich niet langer van solliciteren zou laten weerhouden. Lang genoeg had ze naar Menno's pijpen gedanst, had ze zich omwille van hem opgeofferd. Als ze iets wilde, dan was nu de tijd rijp. Op dit moment was ze nog jong genoeg. Ze had haar onderwijsbevoegdheid, en het was jammer daar niets mee te doen. Haar ouders hadden niet voor niets kromgelegen om haar iets te laten bereiken. Zij kreeg de kansen die voor henzelf niet waren weggelegd. Constantijn haalde de laatste pan van tafel, zij pakte het fraai geborduurde kleed en liep ermee naar de bijkeuken om het daar in de wasmand te gooien. Met elke stap die ze deed, werd ze vastberadener. Het zou Menno werkelijk niet lukken haar nog langer van een sollicitatie te weerhouden.

3

VOORZICHTIG VIERDE DE TUIN DE KOMST VAN HET VOORJAAR. NA EEN natte en grijze februarimaand, had maart de eerste voorjaarsdagen gegeven. De zon was duidelijk in warmte toegenomen, forsythia en krokussen brachten kleur in de tuin, in de weilanden werden de eerste lammeren gesignaleerd, merels floten. De winter moest steeds verder bakzeil halen. Duidelijk hing de geur van de lente in de lucht, fris en pittig, boordevol belofte. Yvonne haalde diep adem terwijl ze even pauze nam en haar tuin rondkeek, leunend op haar spade. Ze had deze fraaie dag aangegrepen om de tuin op orde te brengen. Het was de plek waar ze zich altijd ontspande, waar ze haar gedachten op een rijtje zette als ze over iets moest nadenken. Bij de bezichtiging van de boerderij was ze meteen als een blok voor de ruimte om het huis gevallen. In die tijd lag de tuin er nog verwaarloosd bij, maar zij had de mogelijkheden gezien. Menno lette op meer praktische zaken, zoals de indeling van het huis, de kastjes in de keuken die bijna uit elkaar vielen. Oude mensen waren de bewoners van de boerderij geweest. Als polderpioniers waren ze kort na de oorlog in de Noordoostpolder gekomen. Ze hadden hun bedrijf opgebouwd, keihard gewerkt en voor altijd hun hart aan de zilte kleigrond verloren. Hun dochter vertelde later hoeveel moeite het haar ouders had gekost de overstap naar een zorgcentrum in Emmeloord te maken. Het was hard nodig geweest, want ze konden het werk in het grote huis niet meer aan; van onderhoud was al jaren geen sprake meer. De prijs lag daardoor aanzienlijk lager dan voor de andere woonboerderijen in de buurt. Bijkomend voordeel was dat ze het meteen helemaal naar hun smaak konden verbouwen. De deel werd bij het woongedeelte getrokken, uit de keuken werden de donkere eiken kastjes gesloopt en vervangen door strakke, zwarte kastjes. In het midden verscheen een kookeiland. In deze woning hadden ze hun dromen waargemaakt. Het uiteindelijke resultaat zou niet misstaan in een interieurtijdschrift.
Was de woning hypermodern ingericht, in de tuin heerste een sfeer

van romantiek en nostalgie. Het prieeltje achterin was 's zomers begroeid met rozen; daaronder stond een witgeschilderd bankje. Ze had er later zelf kussens met een romantisch rozenmotief voor genaaid. Daar mocht ze graag zitten als ze niet in de tuin werkte. Het was alsof ze zich daar vrijer voelde dan in huis. Ook op het bankje bij de vijver was het goed toeven. Niets was ontspannender dan het observeren van de grote goudvissen die als oranje vlekken door het water schoten.

Nergens eerder had ze zich zo gelukkig gevoeld dan juist in dit huis, midden in de polder. Tijdens stormen gierde de wind om de hoeken, rammelde aan de ramen, die 's nachts alleen uitzicht boden op zwarte leegte. Daarom sloot ze 's avonds de gordijnen en stak ze kaarsen aan. Daarom keek ze uit naar het verschijnen van de eerste sneeuwklokjes en gewassen op het land. Ze hield ervan de tractoren op de akkers te zien en genoot van warme zomerdagen. Hier beleefde ze de jaargetijden intenser dan ze ooit had gedaan. Hier waren sterrenluchten voor haar gaan leven. Op heldere avonden stond ze soms op het erf en keek naar de hemel totdat ze er duizelig van werd. Altijd weer schoot haar op die momenten de belofte van God aan Abraham te binnen. 'Zie toch op naar de hemel en tel de sterren, indien gij ze tellen kunt. Zo zal uw nageslacht zijn.'

Ze hield van die momenten, van het alleen zijn, van de stilte, van het gevoel dan heel dicht bij God te zijn.

Het naderen van een rode auto onderbrak haar gepeins. Ze herkende het geluid, legde de schop weg en liep over het erf in de richting van de brievenbus. Haar stem klonk opgewekt. 'Goedemorgen, lekker weertje, hè?' De postbode had zijn raampje omlaag gedraaid. Zijn hand met enveloppen werd in haar richting gestoken. 'Je krijgt nu echt het idee dat het niet lang meer duurt voordat het lente wordt. Fantastisch weer om in de tuin te werken.'

Ze pakte de enveloppen aan. Twee blauwe, een zachtgele en drie witte. 'Het voordeel van huisvrouw zijn,' zei ze. 'Af en toe kun je het ervan nemen, hoewel in de tuin werken ook wérken is, hoor.'

'Jawel, maar dat doe ik momenteel toch liever dan de post rond-brengen.' Hij grijnsde breed.

'Dan had je maar een vak moeten leren.' Zij lachte ook. In de loop der jaren hadden ze zo vaak een praatje gemaakt. Ze hadden elkaar een beetje leren kennen, wisten wat ze tegen elkaar konden zeggen. 'Eén-nul,' gaf hij sportief toe. 'Dan ga ik maar weer verder. Iedereen is in ieder geval vrolijk met dit weer.'

Ze stak haar hand op toen hij luid toeterend wegreed.

Met de post liet ze zich op het bankje naast de vijver zakken. De blauwe enveloppen legde ze aan de kant. De zachtgele was een uit-nodiging voor een expositie van Jacqueline, twee witte waren aan Menno geadresseerd, de derde was voor haar. Ze herkende het logo van de scholengemeenschap in Zwolle waar ze had gesolliciteerd. Haar handen trilden een beetje toen ze de envelop losscheurde. Op het hagelwitte papier stond hetzelfde logo afgebeeld. Haar ogen vlogen over de regels, hechtten zich vast aan de laatste zin. 'Wij zien uw komst met belangstelling tegemoet.' Nogmaals las ze de brief alsof ze niet geloofde wat daar zwart op wit stond, dat ze werkelijk uitgenodigd was voor een nadere kennismaking. Ze drukte de envelop tegen haar hart, voelde zich opgewonden als een kind op weg naar de speeltuin. De volgende stap op weg naar een baan was gezet. Ze had een uitnodiging voor een gesprek ontvangen. De brief, die ze had geschreven, had kennelijk hun belangstelling gewekt. Nu leek het minder onvoorstelbaar dat ze over een poosje weer voor de klas zou staan. Na zo veel jaren zou dat wennen zijn. Het lesgeven was veranderd, de jeugd nog mondiger geworden. Ze was ervan overtuigd dat ze die uitdaging aan zou kunnen. Menno zou niet weten wat hij hoorde. Voorlopig zou ze hem nog niets ver-tellen. Hij wist niet van haar brief, hij zou niet van haar uitnodiging weten. Zodra er iets definitief zou zijn, was het vroeg genoeg om het hem te vertellen. Hij zou er niet blij mee zijn. Zij wel.

Twee weken later overhandigde de postbode haar opnieuw een wit omslag met het logo van het Johannes Calvijn College in Zwolle.

'Hierbij delen wij u mede dat de keuze op u is gevallen.'

Het kostte even tijd om het te laten doordringen. Ze las en herlas de brief, kon het bijna niet geloven. Natuurlijk was het een paar weken terug een prettig sollicitatiegesprek geweest dat ze gevoerd had. Ze had er een goed gevoel aan overgehouden en toch had ze zich niet kunnen voorstellen dat juist zij zou worden aangenomen. Nu stond het zwart op wit in de brief die ze in haar handen had. Zij zou binnenkort werkelijk voor de klas staan. Tijdens het sollicitatiegesprek had ze al uitgebreid toegelicht hoe ze de jeugd interesse voor de Duitse taal zou proberen bij te brengen. Eerdaags zou ze de proef op de som kunnen nemen. Van twaalf lesuren in de week zou Menno niet veel last kunnen hebben. Vanavond zou ze wel horen of hij daar zelf ook zo over dacht. Het idee dat er nu geen weg terug meer was, maakte haar ineens een beetje nerveus. Het idee dat ze Menno daarmee zou moeten confronteren, nog veel meer.

Om hem gunstig te stemmen had ze haar best gedaan op een Italiaans viergangenmenu. De laatste jaren hadden ze hun vakanties in Italië doorgebracht. Menno was erg gecharmeerd van de Italiaanse keuken. Meestal klaarde zijn humeur aanzienlijk op als ze Italiaans gekookt had.

'Waar heb ik dat aan te danken?' wilde hij weten toen hij aan tafel schoof en verrast werd met een Italiaans voorgerecht van gerookte zalm. 'Heb ik iets gemist? Er is niemand jarig, en het lijkt me niet onze trouwdag.'

Ze giechelde nerveus. Het idee van die baan leek steeds minder geslaagd. Constantijn keek haar oplettend aan. 'Heb je iets raars gedaan?'

'Het is maar hoe je het bekijkt.' Ze probeerde een zelfverzekerde houding aan te nemen. 'Ik ga binnenkort voor twaalf uur per week beginnen als docente Duits aan het Johannes Calvijn College in Zwolle.'

'Ik wist niet eens dat je echt gesolliciteerd had,' merkte Constantijn op.

'Ik heb het ook niet verteld.' Ze keek naar Menno, naar zijn gezicht dat ondoorgrondelijk stond. 'Je hoefde niet op sollicitatiebezoek?' wilde hij van haar weten.

'Jawel, maar het was op een middag toen jij toch nog op school was.'

'Je vond het niet nodig mij daarvan te verwittigen.'

'Ik wilde eerst weten of het wel wat zou worden.'

'Zodat je mij voor een voldongen feit kon stellen.'

'Daar ging het niet om. Ik ken je, en ik wist dat je allerlei tegenwerpingen zou gaan maken. Dat deed je al toen ik alleen het idee nog maar lanceerde. Ik was ervan overtuigd dat je alles in het werk zou hebben gesteld om mij van die sollicitatie of later van dat gesprek te weerhouden. Je wilde het niet serieus nemen.'

'Willens en wetens heb je mij erbuiten gehouden, alsof het er niet toe doet wat ik ervan vind.' Hij legde zijn bestek neer, en aan de manier waarop hij zijn kaken bewoog, zag ze dat hij woedend was. Het leek ineens helemaal niet zo logisch dat ze het op deze manier had aangepakt.

'Je hebt alles achter mijn rug om gedaan.' Hij veegde zijn mond af met het servet vol Italiaanse motieven en schoof zijn stoel een eindje naar achter. 'In jouw ogen doet het er blijkbaar niet meer toe wat ik ervan vind.'

'Zo moet je het niet zien.'

'Kun je me dan uitleggen hoe ik het wel moet zien?' Zijn stem klonk gevaarlijk kalm, maar uit ervaring wist ze dat hij zich steeds kwader maakte.

'Laat het over je komen,' had Jacqueline vanmorgen nog gezegd toen ze haar zus had gebeld om de goede boodschap te delen. 'Hij zal het zeker niet leuk vinden, maar hij zal er best aan wennen. Zo niet, dan is dat zíjn probleem, en niet het jouwe.'

Het had op dat moment logisch geleken. Nu was alles anders.

'Ik heb meer dan eens laten merken dat ik graag weer aan het werk wilde,' begon ze. 'Jij luisterde nauwelijks, je maakte je er altijd van af met de mededeling dat we er later nog maar eens op moesten terugkomen. Dat later kwam dan vervolgens nooit. Ik heb besloten het heft in eigen hand te nemen, en daarom heb ik een brief geschreven. Als ik eerlijk ben, moet ik zeggen dat ik er niet veel van verwachtte, en ik was heel verwonderd toen ik toch meteen werd opgeroepen voor een gesprek.'

'Ik vind het leuk voor je,' zei Constantijn dapper. 'Hoe heette die school nou?'

'Dat doet er niet toe, want het gaat niet door.' Menno vouwde zijn servet zorgvuldig op. 'Morgen ga je die school bellen om te vertellen dat je er bij nader inzien toch van afziet. Wat mij betreft, mag je zelf een smoes verzinnen. Ik snap best dat dit zo'n spontane opwelling van je was waar je later weer spijt van hebt. Op zo'n moment denk je vaak niet over de consequenties na. Ik neem het je niet kwalijk, en wanneer ik morgen thuiskom, praten we nergens meer over.'

'Behandel me niet als een kind. Ik ben een volwassen vrouw en ik heb helemaal geen spijt van mijn sollicitatie. Integendeel, ik voel me gevleid omdat ik er meteen uit gepikt ben.'

'Het was je bekend hoe ik erover denk. Je hebt rekening met je man te houden. Hoe haal je het in je hoofd buiten mij om te gaan solliciteren?'

'Ik heb er geen spijt van,' zei ze nadrukkelijk en ze weerstond met opgeheven hoofd zijn doordringende blik. Ze prikte in een stukje zalm en bracht het langzaam naar haar mond. Hij was de eerste die zijn ogen neersloeg. Ze wendde zich nu tot Constantijn. 'Het is het Johannes Calvijn College in Zwolle.'

'Heb je er al over nagedacht hoe je daar gaat komen?' Hij had zich hersteld, leek niet van plan verder te eten. Hij schoof zijn stoel achteruit en ging staan. Hoog torende hij boven haar uit. 'Je bent er toch hopelijk niet van uitgegaan dat je de auto mee zou kunnen nemen?'

Dat was ze wel, maar toen ze naar zijn gezicht keek, schudde ze haar hoofd. 'Er is een prima busverbinding naar Zwolle.'

'Dat kost ook nogal wat.'

'Ik verdien straks zelf en krijg uiteraard een tegemoetkoming in de reiskosten.'

'Ik kan alleen maar zeggen dat ik het ondoordacht vind. Dat is niet goed te maken met een Italiaanse maaltijd. Je hebt mijn vertrouwen beschaamd.'

'Menno, ik heb me jaren lang naar jouw wensen gevoegd. Mede dankzij mij heb jij je kunnen ontwikkelen totdat je uiteindelijk rector geworden bent. Voor jou is elke dag anders. Steeds weer wordt je geconfronteerd met uitdagingen. Ik wil ook weer uitdagingen in mijn leven. Ik heb lang genoeg stilgestaan. Je kunt nu proberen me als een kind te behandelen, maar dat verandert niets aan de zaak. Morgen bel ik om definitieve toezeggingen te doen en een afspraak te maken met de schoolleiding.'

'Je wilt ons huwelijk op het spel zetten?' Hij torende boven haar uit.

'Dat zijn jouw woorden. Ik weet niet of je het zo ver wilt laten komen. Die verantwoordelijkheid ligt bij jou. Ik vraag me wel af hoeveel informatieavonden voor de ouders je dan nodig zult hebben om dat weer recht te zetten.'

Zij was ook gaan staan. Hij was langer dan zij. Hij bleef op haar neerkijken, maar zij wendde haar blik niet af. Net zoals even ervoor streden hun blikken met elkaar. Opnieuw was hij de eerste die het opgaf.

'Ik ga,' zei hij.

Ze zweeg zonder haar blik van hem los te maken.

Wat ongemakkelijk schoof hij zijn stoel onder de tafel. Ze keek hem na toen hij de kamer uit liep, hoorde hoe hij zijn jas zorgvuldig van de hanger op de kapstok haalde en aantrok. Zijn voetstappen klonken op de donkere plavuizen in de hal even daarna klapte de achterdeur dicht. Stilte bleef in de kamer hangen totdat de auto het erf af reed.

Ze hoorde Constantijn zuchten. 'Denk je dat hij nog terugkomt?' wilde hij weten.

'Ik weet het zeker.'

'Waar is hij dan nu naartoe?'

'Ik zie hem ervoor aan dat hij ergens uitgebreid dineert. Daarna heeft hij een vergadering.'

Ze voelde zich schuldig toen ze naar zijn gespannen gezicht keek. 'Maak je niet bezorgd, hij komt echt terug en dan zal hij zich er wel bij neerleggen. Pappa moet aan zulke dingen altijd even wennen. Laat hem maar betijen. Wij laten onze maaltijd nu niet verzieken. Ik heb me vanmiddag erg uitgesloofd, en als dessert is er heerlijk Italiaans ijs.'

Constantijn probeerde zich enthousiast voor te doen. Ze stapelde de borden van het voorgerecht op en liep naar de keuken voor de volgende gang. Italianen namen altijd de tijd voor het eten. Zij had ook vier gangen gekookt en had gehoopt dat ze er met z'n drieën van konden genieten. Na al die jaren bleek ze Menno toch nog niet zo goed te kennen als ze had gedacht. Ze had werkelijk gemeend dat de bui heel snel zou overdrijven. Met de spaghetti liep ze terug naar de kamer, en ze probeerde met opgewekte verhalen Constantijn wat op te beuren. Het lukte niet echt. Ze deed echt haar best om zich niet schuldig te voelen.

Drie april was de datum waarop ze voor het eerst op het Johannes Calvijn College in Zwolle werd verwacht. Eindeloos had ze voor de kast gestaan om te kijken wat ze het beste aan kon trekken op haar eerste schooldag. Haar keuze was na lang twijfelen op een vlotte beige broek met veel ritsen gevallen, waarop ze een kleurig vest droeg. Heel lichtjes had ze haar gezicht van make-up voorzien. Menno had zich tijdens het ontbijt achter de ochtendkrant verscholen, haar negerend maar mopperend over de thee die hij zelf moest inschenken, over vrouwen die alleen maar aan zichzelf dachten. Het had haar moeite gekost niet te reageren. Constantijn had haar succes gewenst toen ze vertrok. Menno had volhard in zijn zwijgen. Buiten plensde het. Ze droeg haar grijze trenchcoat, en hield krampachtig de hardroze paraplu boven haar hoofd toen ze naar de bushalte fietste. Af en toe dreigde de wind het van haar over te nemen. De weg naar de halte was langer dan ze had gedacht. Ze had net haar fiets in het daarvoor bestemde rek gezet toen ze de bus al ontwaarde. De chauffeur zag haar net op tijd. Ze wrong zich in de volle bus, probeerde zich niets aan te trekken van het gemopper van de chauffeur, die al optrok toen zij nog midden in het gangpad liep. Pijnlijk kwam haar heup in aanraking met de harde leuning van een stoel; de jongen die erin zat, keek verstoord op. Ze moest staan tot Kampen, en hing tegen een daarvoor bestemde stang met de tas tussen haar voeten geklemd en haar paraplu daarbovenop. De geur van natte regenjassen maakte haar onpasselijk. Bij het station in Kampen liep de bus leeg. Jongeren renden de trappen naar het perron op die hen naar het Kamper lijntje bracht. Anderen dromden voor de open deuren van de bus. Ze liet zich zakken in een van de stoelen met haar tas op schoot en de paraplu tussen haar knieën. Met haar hand probeerde ze het beslagen raam schoon te vegen. De chauffeur las een krant. Eindeloos leek het te duren voordat de deuren gesloten werden en de bus weer optrok. Naast haar was zwijgend een jongen met een walkman gaan zitten. Ze hoorde de muziek die zijn oren geselde, bassen dreunden, zijn handen bewogen mee. Hij leek zich niet van haar aanwezigheid bewust.

Hoe dichter de bus Zwolle naderde, des te nerveuzer werd ze. Voordat de bus stilhield bij de halte waar ze uit moest, wrong zij zich al langs de jongen naast haar, viel bijna toen de bus remde en zette haar voet op de teen van een medepassagier. Er klonk een luide verwensing. Ze putte zich uit in verontschuldigingen, en liet haar paraplu vallen toen de deuren zich openden. Buiten had de regen nog niets aan hevigheid ingeboet. Met onhandige vingers probeerde ze de paraplu op te zetten. Nu viel haar tas bijna. De elleboog van een voorbijganger kwam pijnlijk met haar voorhoofd in aanraking. Zonder verontschuldiging liep de man gehaast verder. Ze kreeg de neiging in snikken uit te barsten. Ze was ervan overtuigd dat ze nooit aan dit avontuur had moeten beginnen en dat de voortekenen op een mislukking wezen. Er was geen weg terug. Langzaam liep ze in de richting van de school. Ze zag op haar horloge dat ze aan de vroege kant was. Ze vertraagde haar tempo, maar stond desondanks toch al snel voor de ingang van het gebouw, dat haar plotseling angst aanjoeg. Nog steeds voelde ze zich een beetje misselijk. Met bonzend hart opende ze de deur die toegang gaf tot een grote hal, keek om zich heen en voelde zich vreselijk alleen. Op de gladde vloer tekende zich een plasje water af, afkomstig van haar paraplu; haar schoenen lieten sporen achter. Ergens ging een deur open. Een jongeman stak de hal over en ontdekte haar. Hij hield in. 'Nieuw hier?'

Ze knikte. Hij liep op haar toe en stak zijn hand uit. 'Mijn naam is Bouwe Verbaan. Je hebt een lekkere dag uitgekozen om te beginnen. Geef mij je paraplu maar; in de lerarenkamer staat wel een bak. Loop je mee?'

Ze volgde hem. Hij praatte. 'Ik geef geschiedenis in de bovenbouw. Jij bent zeker in de plaats van Inge Vaatstra?'

'Als zij Duits heeft gegeven, dan zit het er dik in.'

'Ja, ze was een prima lerares. We hadden niet zo heel veel contact, maar in de lerarenkamer kom je elkaar natuurlijk dagelijks tegen. We dronken nog wel eens een kop koffie. Helaas raakte ze overspannen. Ze is nog wel even terug geweest, maar dat was maar van korte duur. Ze kon het allemaal niet zo goed meer aan. Dat had ook met haar thuissituatie te maken, maar daar zal ik verder niet op ingaan. Een feit is dat je waarschijnlijk een forse achterstand zult aantreffen.'

Hij opende de deur van de lerarenkamer voor haar. 'Zal ik maar koffie voor je inschenken? Zonder koffie kun je het leven hier niet aan.'

Er bleken al meer collega's te zijn. Collega's die met natte haren mopperden over het weer, met namen die ze niet kon onthouden, met verhalen over de school en leerlingen. Ze schudde handen, lachte om wat ze vertelden en dronk met kleine slokken van haar koffie. Langzaam ebde het nare gevoel van de vroege morgen weg en nam haar vertrouwen in de komende uren toe.

'Es ist kalt
Wir müssen weg hier, komm
Dein Lippenstift ist verwischt
Du hast ihn gekauft und
Und ich habe es gesehen
Zuviel Rot auf deinen Lippen
Und du hast gesagt 'mach mich nicht an'
Aber du warst durchschaut
Augen sagen mehr als Worte ...'

Het is doodstil in de klas terwijl de woorden van de zanger Falco door het lokaal klinken. Ze ziet al die jonge gezichten die ingespannen luisteren naar de woorden. Het Duits verandert in Engels.

Jeanny, quit livin' on dreams
Jeanny, life is not what it seems
Such a lonely little girl in a cold, cold world
There's someone who needs you, babe
Jeanny, quit livin' on dreams
Jeanny, life is not what it seems
You're lost in the night
Don't wanna struggle and fight
There's someone who needs you, babe

Ze drukte de cd-speler uit en zette zich op het puntje van het bureau voor in de klas. 'De Duitse taal wordt vaak in een adem genoemd met saai en vervelend. Duitse muziek is in ons land niet bepaald populair. Dat komt waarschijnlijk doordat dan vaak aan schlagers wordt gedacht. Daarbij lukt het maar weinig Duitse artiesten door te dringen tot de Nederlandse top. Eén van de artiesten wie het wel lukte, was Falco.'
'Mijn vader heeft daar ook een cd van,' merkte een meisje op. 'Dit is een bekende hit, maar er staan veel meer mooie nummers op.'
'Misschien kunnen we die een andere keer nog eens draaien.' Ze

knikte het meisje vriendelijk toe. 'Het lijkt me een goed idee als jullie in de komende week eens nadenken over goede Duitse muziek. Volgende week wil ik van jullie dan ten minste één tekst, die je vast en zeker wel van internet zult kunnen halen of een cd waarvan we een nummer in de klas kunnen draaien.'

Er klonk geroezemoes in de klas. 'Ik bedoel dan dus geen schlagers van Heino of Udo Jürgens. Ik heb het echt over hedendaagse muziek,' voegde ze eraan toe. Er werd gelachen, het geroezemoes hield aan. Ze liet de leerlingen even begaan. Het eerste uur op deze nieuwe school was ze fantastisch doorgekomen. Ze had meteen de goede toon gevonden. Wellicht was het mogelijk via Falco uiteindelijk toch bij Rilke uit te komen. Bij het klinken van de zoemer die aankondigde dat de les ten einde was, keek ze vol vertrouwen uit naar het volgende uur.

4

MENNO BOOG ZICH OVER DE BOUWTEKENINGEN, VOLGDE DE VINGER van Aimée de Wolf, die zich aarzelend over het papier bewoog. 'Dit moet dus het nieuwe mediacentrum worden?' wilde ze van hem weten. Hij knikte. 'Klopt. De bibliotheek wordt erin ondergebracht, maar er wordt ook een ruimte afgeschermd voor de computers. Hier kunnen leerlingen dan via internet informatie zoeken die ze nodig hebben. Het is veel praktischer alles bij elkaar te hebben. De mediatheek moet de plek worden waar informatie wordt verzameld, maar waar ook in alle rust gestudeerd kan worden.' Ze stonden vlak bij elkaar. Hij rook haar lichtvoetige parfum, voelde af en toe haar mouw langs de zijne strijken, was zich sterk van haar aanwezigheid bewust. 'Het lijkt me erg mooi worden,' zei ze en ging overeind staan. Haar donkere ogen haakten zich vast in de zijne, haar mond met de volle roze lippen glimlachte. In het licht van de lampen boven hen glansde haar donkere, korte haar. Buiten was het donker en somber,maar bij haar in de buurt was het alsof de zon scheen. Hij voelde zich altijd vrolijker en lichter als zij er was met haar frêle figuur. Ze was veel kleiner dan hij, leek bijna breekbaar. Hij kreeg de neiging haar te beschermen. Met haar drieëntwintig jaar leek ze nog steeds een meisje. Een sierlijk jong kind in de donkerrode rok die soepel om haar benen viel. Het smalle zwarte shirt daarboven sloot nauw om haar figuur met de jonge, kleine borsten. Hij dronk haar aanwezigheid in, elke keer wanneer ze in zijn buurt was. Twee jaar werkte ze nu op 'zijn scholengemeenschap', waar ze als docente Frans werd aangenomen. Vanaf het begin had hij een zwak voor haar. Hij bewonderde haar vanwege haar enthousiasme, vond het prettig naar haar te kijken, haar naam uit te spreken en schaamde zich omdat hij met gemak haar vader zou kunnen zijn.
'Menno?' Ze lachte een beetje spottend, en hij besefte dat hij iets had gemist. Met zijn gedachten was hij zo ver weg, of misschien juist heel dichtbij.

'Ik wilde van je weten hoe laat de persconferentie plaatsvindt.' Als ze lachte, verschenen er kuiltjes in haar wangen.

'Vanmiddag om vier uur. Aansluitend drinken we hier met z'n allen nog een borrel. Jij blijft toch ook nog wel even?'

Hij had zelf niet in de gaten hoe gespannen zijn gezicht stond. 'Zie je tegen die persconferentie op?' wilde ze weten, en ze legde heel even vertrouwelijk haar hand op zijn arm.

'Niet als jij er bent.' Hij had het niet willen zeggen, maar de woorden ontglipten hem. Hij schaamde zich, maar ze leek zich er niet aan te storen.

'Dan kan ik niet anders,' zei ze, en ze glipte langs hem heen, zijn kamer uit. Haar geur bleef hangen. Nogmaals boog hij zich over de bouwtekeningen. Het meeste zou vanmiddag worden uitgelegd door Van Mulligen, die belast was met de bouwplannen en daarnaast conrector was van de vmbo-afdeling die in het nieuwe gebouw zou worden gehuisvest. Uiteraard werd hij daarbij nauw betrokken. Vanmiddag zou hij het inleidende praatje houden; voor nadere bijzonderheden zou Van Mulligen zorgen. Over zo'n anderhalf jaar zouden leerlingen niet langer heen en weer hoeven te fietsen tussen de diverse locaties. Dat zou de veiligheid ten goede komen. Vanmiddag was hij van plan de verbouwing vooral in dat opzicht te benadrukken. 'Zijn school' moest een plek zijn waar kinderen zich veilig voelden, waar ouders hun kinderen veilig wisten. Zorgvuldig vouwde hij de bouwtekeningen op.

Op haar horloge zag ze dat het drie uur was toen ze de deur van de school achter zich dichttrok. Langzaam liep ze over het plein en groette een collega die wilde weten hoe de eerste dag haar was bevallen. 'Ik verheug me op overmorgen,' zei ze, en ze stak haar duim op. Ze moest zich inhouden om niet te gaan huppelen. Tussen de groep mensen bij de bushalte bleef dat opgewekte gevoel ondanks de grijsheid van deze dag. De regen was weliswaar opgehouden, maar de lucht bleef zwaar van het vocht en weigerde de zon toegang. Ze moest een poosje wachten, maar dromde even later met de rij mensen mee die een plekje in de bus zochten. Ze liet zich bijna achteraan op een stoel zakken met haar tas op schoot, haar paraplu tussen haar knieën geklemd. Het lichte, zonnige gevoel wilde niet van wijken weten, ook niet nadat er een mopperende jongeman naast haar was komen zitten die haar groet niet beantwoordde. Met een verveeld gezicht luisterde hij naar de muziek op zijn discman. De bus trok op. Op haar horloge zag ze dat het inmiddels tien voor half vier was. Ze berekende dat ze omstreeks vier uur thuis zou zijn, en daar zou niemand op haar wachten. Constantijn ging vandaag uit school direct door naar hockey, Menno kwam voorlopig ook niet thuis omdat hij op de persconferentie aanwezig moest zijn. Het idee kwam maar zo in haar op. Waarom bleef ze niet zitten tot Emmeloord? Menno's humeur zou vast een stuk zijn opgeklaard, en waarschijnlijk zou hij het wel kunnen waarderen haar op de persconferentie te zien. Na afloop zouden ze een maaltijd bij de Chinees kunnen halen en hij zou haar bij de fiets kunnen afzetten. Tien minuten later zou zij thuis zijn, en Menno was vast niet te beroerd om de tafel te dekken. Het zou de dag extra feestelijk maken. Vanuit de koptelefoon van de jongeman naast haar klonken harde bassen. Met haar vingers tikte ze mee op het ritme.

'Onze school moet een herkenbare school worden,' zei Jacob van Mulligen zelfverzekerd. 'Daarom hebben we gekozen voor die heldere kleur rood die steeds terugkomt, zowel in de toegang tot het gebouw als ook in de platen onder de ramen. Het nieuwe gedeelte heeft een heel andere stijl dan het oude deel. We willen de komende jaren ook het oude deel schilderen met diezelfde kleur rood, waardoor het geheel toch eenheid uitstraalt. We willen dat iedereen weet dat het IJsselmeer College is gevestigd in dat rode gebouw. Het doet er dan niet echt toe of men het mooi vindt of niet. Belangrijk is dat het zich onderscheidt en op die manier bekend wordt.'
Menno keek de zaal rond. Een journalist van de lokale omroep stelde een vraag, die Jacob geduldig beantwoordde. Zelf had hij het

inleidende praatje gehouden. Nu ging Jacob over naar de mediatheek, zijn stokpaardje. 'Tegenwoordig is het mogelijk op verschillende manieren informatie te verzamelen, en al die manieren willen we onderbrengen in onze mediatheek.'

Menno's blik viel op Aimée de Wolf, die op dit moment geheel in beslag leek te worden genomen door haar collega Bram Sterk. Hij zag hoe hij zich naar haar overboog en iets in haar oor fluisterde. Feillos registreerde hij haar glimlach, de manier waarop ze haar hand even op de zijne legde. Een steek van jaloezie schoot door hem heen. Hij wendde zijn blik af en hield zich voor dat de belangstelling voor deze collega goed was, dat hij zichzelf iets in het hoofd had gehaald wat hij zo snel mogelijk weer moest vergeten.

Achteraan, bijna bij de deur, ving zijn blik die van Yvonne. Verrast was hij geweest toen ze ineens voor hem had gestaan. Verrast, maar ook geïrriteerd, omdat het voelde als inbreuk op iets wat helemaal tot zijn leven behoorde. Natuurlijk was ze hier vaker geweest. Ze hoorde bij hem, bij elk personeelsfeest was ze van de partij, maar toen ze hier vanmiddag ineens voor hem had gestaan, voelde het alsof ze in zijn wereld binnendrong. In deze wereld hoorde Aimée. Op deze middag was Aimée speciaal voor hem gebleven, omdat hij haar dat had gevraagd. De komst van Yvonne was niet met de hare te verenigen. Dat gevoel was maar heel langzaam van hem geweken.

'Het is de bedoeling dat leerlingen hier hun informatie vandaan kunnen halen,' ging Van Mulligen onverstoorbaar verder. 'Daarnaast is het ook een soort stiltecentrum. Er kan hier worden gestudeerd, maar ook gewoon even worden bijgekomen van een hectische dag.'

'Gelooft u dat zoiets werkt voor jongeren van een jaar of veertien, vijftien?' wilde een journalist van de plaatselijke krant weten.

Heel even keek Menno nog in de richting van Aimée. Bram zei haar iets waarom ze moet lachen. Zijn blik gleed opnieuw naar Yvonne, die ingespannen naar het referaat van Jacob leek te luisteren. Haar rossige haren krulden speels om haar gezicht. Vandaag was ze voor het eerst naar het Johannes Calvijn College geweest. Hij baalde er

nog steeds van dat ze het nodig had gevonden buiten zijn medeweten om te gaan solliciteren, dat ze alles gewoon op eigen houtje
had gedaan. Vanmorgen had hij helemaal de smoor in gehad, en hij
had zich er niet toe kunnen zetten haar succes te wensen. Nu hij
haar tussen de docenten van zijn school en de genodigden zag staan,
leek zijn gedrag ineens kinderachtig. Tijdens hun korte treffen had
ze hem al verteld dat de eerste dag goed was geweest. Op dit
moment kreeg hij behoefte daarover door te praten. Misschien zou
hij zo de gedachten aan Aimée los kunnen laten.

Van Mulligen werd nog steeds doorgezaagd over het mediacentrum. Yvonne zou voorlopig nog onbereikbaar voor hem blijven.
Die gedachte intrigeerde hem. Misschien was dat zijn handicap,
raakte hij vooral geobsedeerd door vrouwen die voor hem onbereikbaar waren. Was zij jaren geleden ook niet onbereikbaar voor
hem geweest? Hij had haar toen zo mooi gevonden, zo intelligent.
Toen ze het moeilijk kreeg als beginnend docente, had hij zich
opgeworpen als haar beschermer, haar vertrouwensman bij wie ze
haar hart kon uitstorten. Ze was toen nog zo jong geweest, zo oner-
varen, en het viel haar tegen dat de jeugd zo onverschillig tegenover de Duitse taal bleek te staan. Bij hem had ze haar hart uitgestort.
Het duurde niet lang voor hij naar die gesprekken uitkeek. Ze gaf
hem het gevoel dat ze hem nodig had, maar ook dat ze hem
begreep en dat ze zo veel samen deelden. Nooit waren hun gesprekken oppervlakkig geweest. Zij leerde van hem. Hij leerde van haar.
Wederzijds waren hun gevoelens dieper geworden, maar tussen hen
in stond Elisabeth, met wie hij al een jaar verloofd was. Er waren
plannen om samen een huis te kopen, ze waren al her en der aan
het kijken. Elisabeth werd voortdurend enthousiaster, hij had er
steeds minder zin in gekregen. Yvonne vergezelde hem in zijn
gedachten en zijn dromen. Op dat moment was ze onbereikbaar
geweest. Iedereen verwachtte immers dat hij met Elisabeth verder
zou gaan, en Elisabeth zelf nog het meest. Hij stelde zich in die tijd
wel eens voor wat een ophef het zou geven als hij haar zou vertellen dat hij de verloving wilde verbreken, en voor die gedachte

schrok hij steeds weer terug. Op een dag had hij toch niet langer kunnen zwijgen. Opnieuw had hij samen met Elisabeth een huis bekeken dat geknipt voor hen beiden leek. Elisabeth wilde nu werkelijk haar plannen doorzetten. Ze was verliefd op de ruime woning, wilde die kopen, richtte die in gedachten al in. Ze deelde haar gedachten met hem over avonden bij de open haard, fantaseerde met een glimlach over een kinderkamer, over kinderen van hen beiden. Hij kreeg het gevoel dat hij zou stikken als hij nog langer zou doorgaan. Hij kon niet anders dan de verloving verbreken, met alle gevolgen van dien. Zonder dat ze het zelf wist, was Yvonne de oorzaak van hun breuk. Hij had tijd nodig om de scheiding van Elisabeth te verwerken, die hem toch meer had aangegrepen dan hij had verwacht. Uiteindelijk bracht zijn beslissing hem opluchting. Yvonne was bereikbaar geworden. Hij was met haar getrouwd, maar ergens was altijd iets van onrust in hem gebleven. De relatie met Yvonne werd al zo gauw weer normaal. Hun diepgaande gesprekken werden oppervlakkiger; de komst van Constantijn had dat alleen nog maar erger gemaakt. Hij werkte hard. Yvonne klaagde. Ze had geen idee dat hij zo hard werkte om haar en zichzelf te beschermen.

'Dan wil ik nu nog even het woord geven aan de rector van deze school, de heer Fynvandraadt,' hoorde hij Jacob zeggen. Hij ging staan; de ogen van Yvonne haakten zich in de zijne. Bijna onmerkbaar knikte hij haar toe, glimlachte. 'Veel heb ik niet toe te voegen. Ik hoop u over zo'n anderhalf jaar opnieuw te ontmoeten, en dan tijdens de opening van onze nieuwe locatie. Nu wil ik u uitnodigen om met ons te toasten op de nieuwbouw van het IJsselmeer College. U wordt van harte uitgenodigd voor een hapje en een drankje.'

Hij kwam achter de tafel vandaan en werd aangehouden door iemand van het bestuur van de schoolvereniging. Yvonne, achteraan, had inmiddels contact gelegd met Jannicke Schriers, de conrector voor de havo-afdeling. Hij probeerde zich te concentreren op het gesprek dat hij moest voeren, zag vanuit zijn ooghoeken dat

Bram en Aimée de zaal verlieten. Hij hield zichzelf opnieuw voor dat het zo het beste was, dat Bram en Aimée goed bij elkaar zouden passen. Hij nam een glas sherry en toastte op zijn school. Yvonne was dichterbij gekomen. Hij zocht haar blik. Een ouder die in de medezeggenschapsraad zat, wilde iets van hem weten. Yvonne raakte even zijn arm aan voordat ze verder liep. Hij kon zijn gedachten slecht bij het gesprek houden. Even later was ze weer een eind van hem verwijderd. Bram en Aimée waren teruggekomen. Aimée stond nu naast Yvonne. Hij zag hoe zijn vrouw zich naar de kleine, tengere Aimée boog en iets tegen haar zei. Aimée lachte. Morgen zou ze vast tegen hem zeggen dat hij een aardige vrouw had; zo was ze wel. Nu hij haar hier zo zag staan, kon hij dat alleen maar beamen.

Het lukte hem de ouder uit de medezeggenschapsraad af te schudden. Hij perste zich nu tussen de mensen door tot hij vlak voor Yvonne stond en haar mooie groene ogen vol verbazing op zich gericht zag. Heel even legde hij zijn handen rond haar gezicht. *'Einmal nahm ich zwischen meine Hände dein Gesicht. Der Mond fiel darauf ein.'* Zijn stem was zacht, bijna niemand hoorde het. Alleen zij.

Hij zag hoe haar mond zich tot een lach krulde. *'Unbegreiflichster der Gegenstände unter überfliessendem Gewein,'* vulde ze aan. 'Hoe lang is het geleden dat ik Rilke declameerde?'

'Veel te lang.' Hij pakte haar hand. De bijeenkomst duurde nog een hele tijd, maar er was niemand die nog tussen hen kwam.

De avond was gevallen. Constantijn lag al in bed, het laatste uur voor het slapengaan was voor hen beiden. Ze had de gordijnen van de huiskamer gesloten, een cd opgezet met sfeervolle achtergrondmuziek. Op tafel stonden glazen met een goede bordeaux.

'Het heeft me zo goed gedaan,' zei ze, en ze kroop naast hem op de bank. 'Gewoon weer voor de klas te staan, die leerlingen voor me te zien. Nu pas besef ik hoezeer ik dat gemist heb.'

Hij had zijn keurige kostuum geruild voor een spijkerbroek met daarop een gestreept poloshirt. Ze schurkte met haar hoofd langs zijn bovenarm. 'Het is lang geleden dat ik me zo gelukkig heb gevoeld.'

'Ik was verbaasd je ineens bij de persconferentie te zien.'

'Ik was bang dat je het me niet in dank zou afnemen.'

'Waarom zou ik daar bezwaar tegen hebben? Je bent mijn vrouw.'

'Dat is waar. Ik heb me trouwens ook best vermaakt. Die nieuwe Franse lerares is een aardige vrouw.'

'Aimée de Wolf bedoel je?' Hij vond het prettig haar naam uit te spreken.

'Een betere voornaam voor een docent die Frans geeft, kun je je niet voorstellen,' vond ze. 'We hebben wat ervaringen uitgewisseld. Over lesgeven bleken we zo ongeveer dezelfde ideeën te hebben. Ik heb haar verteld dat ik vanmorgen Duitse muziek heb gedraaid en mijn leerlingen de opdracht heb gegeven de volgende keer zelf Duitse teksten of cd's mee te brengen. Ze vond het een leuk idee en wilde iets soortgelijks in haar lessen gaan doen.'

'Ik meen te weten dat Aimée ook tamelijk inventief is op dat gebied. Heeft ze al niet eens iets dergelijks gedaan?'

'Zij had in de klas voorgesteld via internet te gaan chatten of mailen met Franssprekende jongeren, maar in de praktijk was dat nogal moeilijk. Ik vond het wel de moeite waard erover na te denken. Jongeren zijn natuurlijk heel veel met internet bezig, en de Duitse taal zal minder een beletsel vormen om met leeftijdgenoten te chatten of te mailen dan de Franse taal. Tegenwoordig is het belangrijk dat je aansluiting vindt bij de belevingswereld van de jongeren. Het is onzin meteen met Goethe te beginnen of met gortdroge grammatica. Uiteindelijk hoop ik daar natuurlijk wel uit te komen, maar dan zou het mooi zijn als mijn leerlingen op deze manier al geïnteresseerd zijn geraakt in de taal.'

'Je bent nog altijd een idealist.' De spot was uit zijn stem verdwenen.

'In het onderwijs zijn idealisten nodig.' Ze zei het met overtuiging, draaide zich om en nestelde zich bij hem op schoot. Het was lang geleden dat ze samen zo de avond beleefd hadden. Haar warme lichaam rustte nu tegen het zijne. Ze voelde hoe zijn hand zacht haar wang streelde, langzaam langs haar hals naar beneden gleed en in haar bloes kroop. Zwaar klonk zijn ademhaling toen zijn hand haar zachte borst verkende. Het was lang geleden dat ze zo in elkaar waren opgegaan. Het was lang geleden dat het zo goed was.

5

AL HEEL SNEL WERD HET JOHANNES CALVIJN COLLEGE BEKEND terrein. De hal werd haar vertrouwd, de leerlingen kregen bekende gezichten. Een maand na indiensttreding had Menno zich er al in zoverre bij neergelegd dat ze van hem een kleine, handig te parkeren auto kreeg. Haar reistijd kortte ze op die manier aanzienlijk in. Menno toonde interesse in de dingen die ze op school deed. Hij wilde nu weten hoe haar dag was geweest, hoe bepaalde dingen op school geregeld waren, hoe Hans Cremers het als rector deed.

Zij had haar eerste klassenavond achter de rug, die al gepland stond voordat zij haar intrede op de school deed. Feitelijk was er voor haar niet veel te doen geweest. Zij stuurde aan. De planning en uitvoering lag bij de leerlingen. In de dagen voorafgaand aan het feest, had ze het idee gekregen dat ze de klas beter was gaan kennen. Op de avond zelf had ze met de muziek meegezongen en gedanst. Sinds die tijd was haar populariteit bij de klas waarvan ze mentor was, enorm toegenomen.

Ze genoot steeds meer van het lesgeven, keek werkelijk uit naar de dagen waarop ze moest werken. Over het idee dat Aimée haar tijdens de personconferentie aan de hand had gedaan, had ze inmiddels haar gedachten laten gaan. Ze had besloten dat toch enigszins aan te passen.

'We hebben vandaag de werkwoorden met de derde naamval behandeld,' beëindigde ze de les van een 3 havo-klas. 'Ik wil dat jullie dat hoofdstuk de volgende keer hebben doorgenomen en me dan kunnen vertellen waarom bijvoorbeeld 'nachsehen' de ene keer de derde naamval heeft en de volgende keer de vierde naamval.'

De eerste agenda's werden dichtgeslagen. 'Daarmee zijn jullie er nog niet,' vervolgde ze. 'Als opdracht geeft ik jullie bovendien mee dat jullie het internet op gaan. Ook in Duitsland, Oostenrijk of Zwitserland presenteren bedrijven zich op internet. Er zijn uiteraard organisaties die zich bezighouden met goede doelen. Zoek iets wat je aanspreekt. Het maakte me niet uit of het een commercieel bedrijf is of een organisatie voor een goed doel. Het gaat mij erom dat jullie vragen bedenken en die per mail gaan stellen. Voor deze opdracht geef ik jullie twee weken de tijd. Over veertien dagen wil ik van jullie allemaal een bladzijde waarop die mail is afgedrukt, inclusief het antwoord van de organisatie.'

'Kunnen we dat niet naar u toe mailen?' wilde Sander van de Weert weten.

'Ik? Ik mail eigenlijk nooit,' moest ze bekennen. 'Ik vind het net zo makkelijk om de telefoon te pakken als ik iets wil vragen, en in dit geval krijg ik jullie bijdrage liever op mijn bureau.'

'Iedere docent heeft op deze school zijn eigen mailadres. Ik vind ook dat het per mail veel handiger is,' mengde Rolf Pasmans zich erin. De rest van de klas liet instemmende geluiden horen.

'Het is omslachtig het uit te printen. Bovendien kunt u zelf de site veel makkelijker opzoeken als we het in een mailtje aan u toesturen.'

Het klonk aannemelijk genoeg. Constantijn had ook al eens opgemerkt dat ze op dat gebied hopeloos ouderwets was. Ze was ervan overtuigd dat hij het zou waarderen als ze de eerste stappen op internet zou zetten. Hij zou in dat geval vast niet te beroerd zijn om haar op weg te helpen. Het was bij nader inzien een aantrekkelijk idee dat ze misschien eens zou begrijpen waarover haar twee mannen het hadden wanneer ze over internet praatten. 'Over twee weken moet ik jullie mailtje binnen hebben,' gaf ze toe, toen de bel ging ten teken dat het lesuur ten einde was. 'In de laatste schoolkrant staan mijn gegevens vermeld.'

Met een glimlach zag ze klas 3H2 vertrekken.

'Hoe doe je dat nou?'

Constantijn zat aandachtig te typen. Zij schoof zachtjes achter hem de kamer binnen en bleef achter hem staan. Aan zijn houding zag ze dat hij haar aanwezigheid niet op prijs stelde.

'Ben je aan het mailen?'

Een laatdunkende blik was het antwoord.

'Is dat werkelijk zo'n rare vraag?'

'Mam, elke moeder in mijn klas weet wat chatten is. De moeder van Pieter ziet dat verschil al wanneer ze de kamer binnenkomt. De moeder van Sanneke chat zelf, en jij komt binnen, gaat achter me staan en vraagt of ik aan het mailen ben.'

'Wat is dan het verschil?' Ze deed haar best om niet op het scherm te kijken, waar zijn vingers woorden typten. Nog net zag ze een schermpje omhoog komen.

'Mailen is gewoon een brief schrijven en per computer versturen. Chatten is eigenlijk op de computer met elkaar praten.' Er kwam weer een schermpje omhoog. 'Kijk, ik heb Pieter net iets gevraagd, en hier is het antwoord al.'

'Je hebt Pieter toch net op school nog gezien en gesproken?'

'Dat maakt toch niet uit?'

'Je hebt elkaar dan toch niets meer te vertellen?'

'Natuurlijk wel.'

Nieuwsgierig keek ze nog eens over zijn schouder en las hardop, 'Poezesnoes die zo dol is op haar poes Panter zegt ...'

'Mam!'

'Is dat een naam?'

'Ja, dat is een naam.'

'Maar toch niet van Pieter?'

Hij haalde geërgerd zijn schouders op. 'Nee, natuurlijk niet. Pieter heet toch geen Poezesnoes.'

'Het lijkt me een naam voor een meisje,' raadde ze, en aan de rode kleur die vanuit zijn hals omhoogkroop, zag ze dat ze er niet ver naast zat. Ze besloot hem niet nog meer tegen zich in het harnas te jagen. 'Ik moet leren hoe je mail ophaalt,' zei ze. 'Wil jij me daarbij helpen?'

'Dat is helemaal niet moeilijk.'

'Als je het weet, niet.'

Hij lachte als een boer die kiespijn heeft. 'Ik wil je straks wel laten zien hoe het moet.'

De toon in zijn stem zei haar dat hij het erg zou waarderen als ze nu de kamer zou verlaten.

'Ik kom later dan wel terug.' Ze draaide zich om, liep naar de deur, maar draaide zich nog even om. Zijn houding was meer ontspannen geworden, het was alsof hij zich al niet meer van haar aanwezigheid bewust was. Af en toe was het alsof hij haar steeds meer ontglipte, of er steeds minder overbleef van het kind dat hij ooit was. Het zou niet meer terugkomen. De tijd leek tussen haar vingers doorgeglipt te zijn, en ze verlangde ineens heel erg naar het kleine jongetje dat troost en bescherming bij haar op schoot zocht. Veel te snel was het allemaal voorbijgegaan. Langzaam liep ze de trap af. Menno was vanavond al vroeg vertrokken voor een vergadering. Een eindeloze avond lag voor haar. Constantijn zou straks voor de televisie zitten. Zij had haar lessen voor de volgende dag al voorbereid, de onverwachte overhoring die ze vandaag had gegeven, gecorrigeerd. Ze had geen zin om onderuit gezakt naar de televisie te kijken. Zelfs lezen trok haar vanavond niet, terwijl het boek waarin ze bezig was, haar toch boeide. Haar hoofd was vol onrust zonder dat ze de oorzaak ervan wist. Ze liep door de kamer, naar de gang en verder naar de keuken. Daar maakte ze een kop koffie voor zichzelf klaar. Ze nam het mee terug de kamer in, zette zich op de armleuning van de stoel voor de tuindeuren. De lente drong zich voor de lage ramen in volle hevigheid aan haar op. De forsythia was bijna uitgebloeid; bonte tulpen doorbraken de gele dominantie van de narcissen in de perken. Glanzend zwart was het pak van de merel in het gras.

Door het geopende raampje hoorde ze de koolmezen in de appelbomen; in het kleine kastje dat Menno aan de zijkant van het huis had neergehangen, was een koolmezenpaar neergestreken. Weldra zou het kleine huis bevolkt worden door hun nageslacht, dat nu nog in de eierschalen sluimerde. Buiten heerste de vrede van een lenteavond die overwoog in de nacht over te gaan. De bewoners van het kippenhok hadden hun slaapplaatsen opgezocht. Morgenvroeg zou de fiere haan als eerste ontwaken en dat luidkeels meedelen. Langzaam kwam haar hoofd nu tot rust; ze liet het steunen tegen de zijkant van de rugleuning.

'Mam, je kunt erbij hoor.' Constantijn kwam de kamer in. 'Weet je zeker dat ik je erbij moet helpen?'

Ze keek naar hem, haar kind, haar grote zoon, gekleed in een strakke spijkerbroek met daarop een vlekkerig rood T-shirt dat wijd rond zijn magere lijf hing. Zijn rossige haar was kortgeknipt. Hij had net zulk haar als zij, maar liet de kapster zijn krullen er altijd zo veel mogelijk uitknippen. Zijn gezicht was smaller geworden dit laatste jaar, hij had dezelfde rechte neus als Menno, maar bijna vrouwelijke, volle lippen. Bijna dertien jaar, een kind dat onderweg was man te worden. Ontroerend onhandig soms, afstandelijk stoer, mannelijk en kinderlijk tegelijk. Met grote slokken dronk ze haar kopje leeg en deponeerde het op tafel.

'Ik zou het waarderen als je me op weg zou willen helpen. Je weet dat ik niet handig ben met de computer, wel als het om het schrijven van teksten gaat, maar helemaal niet als ik iets met internet of mailen moet doen. De computer is jouw vriend, voor mij is het nog steeds een afstandelijke vreemde.'

Ze merkte op dat hij zijn wenkbrauwen optrok, geërgerd omdat hij er toch niet onderuit kwam. Duidelijk hoorbaar was de zucht. Ze liet zich niet vermurwen. Hij liep voor haar uit de trap op. Zijn sportschoenen gingen een paar treden voor haar uit. Ze zag zijn donkere sokken met het sportmerk op de zijkant, de zoom van zijn broek die ze er zelf in gelegd had omdat de pijpen te lang waren. Zwijgend schoof hij achter de computer, trok een stoel voor haar bij. Opnieuw vlogen zijn handen over de toetsen. 'Je moet met de muis op dit icoontje klikken,' zei hij. Buiten was de merel aan een avondlied begonnen. Langzaam maar zeker trok het daglicht zich steeds verder terug. Ze probeerde haar aandacht bij zijn uitleg te houden, richtte haar ogen op het scherm, zag een klein envelopje dat hij aanklikte, waarna het beeld veranderde. 'Hier bovenin kun je aangeven wat je precies wilt doen. Zullen we eerst maar eens kijken of je al mail hebt? Je adres bestaat al lang. Waarschijnlijk heb je de nodige spam wel binnengekregen.'

'Spam?'

'Een soort ongewenste reclame.'

Ze keek toe hoe hij de verschillende opties aanklikte, zag hoe haar mailbox zich vulde en hij die even later weer leegmaakte. Hij deed haar voor hoe ze zelf een bericht kon schrijven, legde uit hoe ze de berichten ook weer kon verwijderen. Ze keek toe en wist zeker dat ze het een dag later vergeten zou zijn.

'Wil je ook nog leren chatten?' informeerde hij even later.

'Ik geloof dat ik daar weinig zin in heb.'

'Misschien maar beter ook.' Hij sloot het programma af. 'De vader en moeder van Patrick, die bij mij in de klas zit, gaan scheiden, omdat zijn moeder verliefd is geworden op iemand waarmee ze heeft gechat.'

'Daar heb ik wel eens vaker van gehoord. Via internet leren mensen elkaar kennen en worden dan verliefd op elkaar. Het lijkt me zo raar omdat je elkaar niet ziet.'

'Ik weet het ook niet.'

'Je wordt wel snel vertrouwelijk met elkaar,' dacht ze hardop. 'Misschien is dat het. Zonder dat je elkaar gezien hebt, deel je al heel veel met elkaar, en als je dan merkt dat je elkaar begrijpt, kun je misschien wel verliefd worden.'

'Ze hadden afspraakjes met elkaar gemaakt,' wist Constantijn.

'Jammer hoor. Volgens mij heb je het dan toch zelf in de hand.'

'Ik weet het niet. Patrick zegt dat het een rare vent is.'

Ze vergat hem op zijn taalgebruik te wijzen. 'Ik denk dat je dat met mij nooit zult meemaken.'

'Gelukkig maar, het lijkt me erg als jullie zouden scheiden.'

Ze legde even haar hand op zijn onwillige hoofd. Hij lachte naar haar. 'Ik heb dorst.'

'Heb je zin in chocolademelk?'

Terwijl ze samen naar beneden liepen, vroeg ze zich plotseling af waarom ze zich altijd zo naar Menno's wensen had gevoegd. Voor Constantijn zou het veel prettiger zijn geweest een broer of zus te hebben. Waarom had ze de belangen van Menno voor laten gaan? Hoe kwam het dat ze al die jaren zo naar hem had opgekeken?

Jacqueline had er altijd de draak mee gestoken, maar zij had het vanzelfsprekend gevonden. Menno en zijn belangen kwamen op de eerste plaats. Hijzelf had dat overigens net zo gewoon gevonden. Ze maakte opnieuw een kop koffie, warmde voor Constantijn chocolademelk. 'Het duurt niet lang meer voor je basisschoolleerling áf bent,' merkte ze op toen ze naast hem op de bank plaatsnam. 'Zie je ertegen op straks naar de school van pappa te gaan?' Hij schudde zijn hoofd. 'Waarom zou ik? Ik kan er toch niets aan doen dat mijn vader rector van de school is? Ik denk ook niet dat ik hem vaak zal zien. Patrick heeft een oudere broer die er op school zit, en die zegt dat bijna niemand pappa kent. Heel veel kinderen weten zijn naam niet eens. Dat komt natuurlijk doordat hij veel op zijn kamer zit.'

'In jouw geval een voordeel,' bedacht ze. 'Ik zou het als meisje vreselijk gevonden hebben om een vader te hebben die rector op mijn school was. Waarschijnlijk zou ik proberen het zo veel mogelijk stil te houden.'

'Nou, jij hebt daar gelukkig geen last van gehad.' Constantijn lachte. 'Opa heeft alleen maar verstand van buizen en zo. Volgens mij weet hij niet eens wat ze op zo'n school allemaal doen.'

Zijn opmerking trof haar pijnlijk.

'Opa weet misschien niet wat er op zo'n school gebeurt, maar hij is wel een heel kundig loodgieter. Zijn baas was blij met hem en vond het echt jammer dat hij met de VUT ging. Als er hier in huis iets moet gebeuren, staat hij trouwens ook altijd klaar,' wees ze hem terecht. 'Pappa kan weer geen spijker in de muur slaan; daar heeft ook hij opa bij nodig. De ene mens is hier goed in, de ander weer in iets anders. Dat wil niet zeggen dat de een beter is dan de ander.'

'Je hoeft niet zo te preken. Ik weet het heus wel.' Constantijn veegde met zijn hand langs zijn mond om zijn bruine snor weg te werken. Ze had alweer spijt van haar heftige reactie, vroeg zich af waarom die opmerking van Constantijn haar zo gekwetst had. Het antwoord was haar wel duidelijk. Het was alsof ze Menno hoorde. Menno kon ook zo denigrerend over haar ouders praten, alsof ze tot een mindere soort behoorden. Hij kwam zelf uit een heel ander milieu. Zijn vader was gemeentesecretaris van een kleine gemeente in de omgeving van Zwolle geweest. Haar schoonmoeder liet geen gelegenheid voorbij gaan om dat te vermelden. Tegenwoordig werden haar ouders niet meer tegelijk met haar schoonouders op een verjaardag uitgenodigd. Haar schoonouders viel de eer te beurt op de dag zelf te komen, te midden van vrienden en kennissen van vooral Menno. Haar ouders, zus en zwager werden dan de zaterdag erna verwacht. Ze had dat nooit aangevochten; haarzelf had de combinatie van ouders en schoonouders ook altijd een gevoel van spanning bezorgd. Haar vader was een kei in het maken van de verkeerde opmerkingen, en op een feestje leken haar ouders met hun duidelijk Zwolse accent niet goed tussen de andere gasten te passen. Jacqueline dacht daar heel anders over, maar Jacqueline had over de meeste dingen heel andere ideeën dan zij.

'Het spijt me,' zei ze. 'Ik had niet zo mogen uitvallen, maar het gaat wel om mijn vader, weet je. Hij is er altijd als ik hem nodig heb. Hij was er vroeger ook altijd. Met mijn huiswerk kon hij me misschien niet zo goed helpen, maar hij zei me altijd wel dat ik vertrouwen in mezelf moest hebben. Hij lag krom voor mijn studie, omdat hij mij meer kansen wilde geven dan hijzelf ooit had. Mijn vader, en mijn moeder net zo goed, beschouw ik als een fijn mens. Ik kan er slecht tegen als iemand zo laatdunkend over hem praat, en ik vind het helemaal vervelend als jij dat doet.'

'Ik zou het ook rot vinden als iemand iets naars over jou zou zeggen,' begreep Constantijn. Ineens leek dat kleine jongetje dat bij haar op schoot kroop, weer heel dichtbij. Ze wist de neiging te onderdrukken hem naar zich toe te trekken.

De vergadering van de bouwcommissie liep ten einde. Menno gaapte verstolen achter zijn hand en keek op zijn horloge. Buiten had de nacht al duisternis vooruitgestuurd. De gangen lagen stil en verlaten, heel anders dan overdag. Er klonken altijd wel ergens jonge stemmen. Het schooljaar naderde alweer zijn einde. Volgende week begonnen de schriftelijke examens. Voordat je het wist, zouden de boeken weer worden ingeleverd, en de school voor zes weken zijn deuren sluiten. Daarna zouden wat aarzelend nieuwe leerlingen met te grote tassen de school voor het eerst binnenkomen. Zijn zoon zou daaronder zijn. In dat nieuwe schooljaar zou de nieuwe aanbouw van de school gestaag vorderen. Als alles volgens plan verliep, zou volgend jaar tijdens de grote vakantie de enorme opgave van de verhuizing wachten. Uiteindelijk zou het allemaal goed komen. Hij was ervan overtuigd.

Nogmaals kon hij een geeuw niet onderdrukken. Van Mulligen kondigde aan dat er geen nadere mededelingen meer waren. Hij kon zelf de vergadering sluiten, wenste iedereen een goede thuisreis en greep zijn papieren bij elkaar. Jacob van Mulligen hield hem nog even staande voordat hij de lerarenkamer uit liep. De aannemer, die de bouwplannen zou uitvoeren, schudde hem de hand. De conciërge schoof langs hen heen om de lege koffie- en theekannen op te halen.

'Je redt het verder wel?' wilde hij van Jacob weten.

'Ik hoef alleen de beamer uit te schakelen en mijn papieren weg te bergen. Ga maar vast.'

Gewoontegetrouw liep hij nog even naar zijn kantoor, sorteerde de papieren die hij vanavond van Jacob had gekregen in zijn map met 'nieuwbouw' erop en legde die in de la. Hij knipte het licht uit, keerde zich om en keek in de ogen van Aimée.

'Jij hier?' ontglipte hem verrast.

Hij ontdekte spotlichtjes in haar ogen. 'Zo vreemd is dat toch niet. Ik geef les aan deze school, weet je.'

'Maar toch niet 's avonds om tien uur?' Hij liep langzaam in haar richting. Ze keek naar hem op. 'Zoiets noemen ze ook wel hart voor de zaak.'

'Je kunt het overdrijven.' Hij glimlachte naar haar.

'Ik ben bij mijn ouders geweest,' verduidelijkte ze. 'Bram had me vanavond opgebeld over een boek dat hij voor me had meegenomen en dat hij in mijn postvak had gelegd. Omdat ik morgen vrij ben, leek het me goed het nu even te halen, zodat ik het vast kan doorkijken.'

'Hoe ga je dan naar huis?'

'Zoals ik altijd naar huis ga, met de bus.'

'Zal ik je brengen?'

Ze aarzelde niet. 'Ja graag,' zei ze en hij wist dat ze hierop had gewacht. 'Ik ga eerst het boek halen. Dan kom ik wel naar je auto.' Hij keek haar na toen ze door de helder verlichte gang liep in de richting van de lerarenkamer. Met haar strakke spijkerbroek en korte truitje zou ze een leerlinge kunnen zijn. Hij wachtte totdat ze uit het zicht verdwenen was en liep toen terug naar zijn bureau om de autosleutels te pakken. Met grote stappen beende hij even later naar zijn comfortabele wagen, en zag na een paar minuten Aimée in gezelschap van Jacob aankomen. 'Dat doe je voor mij nooit.' Jacob opende het portier voor Aimée en stak zijn hoofd door de deuropening. 'Je laat mij altijd lopen.'

Hij ergerde zich aan de insinuerende manier waarop Jacob het bracht. Alsof hij meer wilde dan een van zijn docenten naar huis brengen.

'Je hoeft niet naar Kampen, maar als je er prijs op stelt, wil ik jou ook gerust even thuis afzetten,' reageerde hij zuinig.

Jacob grijnsde en sloot het portier nadat Aimée was gaan zitten. 'Daar meen je niets van.'

Hij startte de auto, stak de hand als groet op naar Jacob en reed de parkeerplaats af. Zijn blik gleed over het boek dat ze nu op haar schoot had liggen. 'Werk en leven van Monet,' las hij op de voorkant. 'Dus je bent geïnteresseerd in Claude Monet,' begon hij. Ze wreef met haar hand over het glanzende omslag. Hij ontdekte haar vingerafdrukken.

'Niet alleen in Monet, maar in het impressionisme in zijn geheel. Ik houd van licht en kleur, twee sleutelwoorden die terug te vinden zijn in het werk van impressionistische schilders. Uiteraard heeft het ook met mijn liefde voor Frankrijk te maken.'

'Monet is binnen het impressionisme de meeste bekende.'

'Renoir en Cezanne zijn schilders die de mensen ook nog wel kennen, en onder de beeldhouwers is Auguste Rodin natuurlijk heel beroemd geworden.'

Hij rook de geur van haar eau de toilette, die door zijn hele auto leek te trekken. De kleine ruimte leek totaal vervuld met haar.

'Je deelt die interesse met Bram, begrijp ik.' Zijn stem klonk een beetje schor.

'Nee, helemaal niet. Hij heeft dat boek eens voor zijn verjaardag gekregen, maar heeft het nauwelijks ingekeken. Ik deel in feite niets met Bram. We zijn zo verschillend.' Ze lachte. Licht en helder klonk haar lach als het kerstklokje dat Yvonne ieder jaar weer in de boom hing. 'Bram en ik zijn goede vrienden, maar meer zit er niet in. Het klinkt misschien raar, maar ik kan het nooit zo goed bij leeftijdgenoten vinden. Op de een of andere manier val ik altijd op oudere mannen.'

De auto raakte nog meer vervuld van haar. Hij moest moeite doen om zijn aandacht bij het verkeer te houden. 'Dat kan.' Hij wilde niets van zijn verwarring laten merken. 'Heeft Bram er veel moeite mee?'

'We hadden nog niet echt iets, en voordat het iets kon worden, kwamen we beiden tot de conclusie dat we er maar niet aan moesten beginnen. Bram meende dat jij daar wel blij om zou zijn.'

'Hoezo?' reageerde hij gealarmeerd.

Opnieuw klonk dat lachje dat hij zo heerlijk vond om te horen. 'Volgens Bram vind je het niet prettig als twee collega's op school een relatie hebben.'

'In het verleden zijn daar wel eens problemen mee geweest,' erkende hij met iets van opluchting. 'Ik moedig het dus beslist niet aan, maar heb inmiddels wel geleerd dat je niet alles kunt tegenhouden.'

'Nou, het probleem is bij ons in ieder geval opgelost.'

'En we zijn inmiddels ook op de plaats van bestemming.' Hij laveerde de auto het parkeerterrein bij de kleine galerijflat op en stopte voor de ingang.

'Ik vind het erg lief dat je me wilde brengen.' Ze keek naar hem op.

Haar donkere ogen glansden, ze had kuiltjes in haar wangen, haar lippen waren licht geopend.

'Het was maar een kleine moeite.' Hij schoof een eindje bij haar vandaan.

'Ga je nog mee iets drinken? Ik heb er een hekel aan om alleen binnen te komen in dat donkere huis.'

'Jij? Ik meende dat oudere dames daar moeite mee hadden, nadat hun echtgenoot was overleden.'

'Spot er niet mee. Ik heb het altijd moeilijk gevonden. Eerst breng je een avond met mensen door, en dan plotseling kom je in de stilte van je eigen huis. Het is donker, bijna vijandig totdat je het licht hebt aangeknipt, en daarna blijft die stilte.'

'Daar kan ik me iets bij voorstellen. Is het geen mogelijkheid een tijdschakelaar op een van je lampen te zetten zodat je in ieder geval niet in het donker thuiskomt?'

Hij zag de teleurstelling op haar gezicht, voelde zich bijna schuldig.

'Daarmee verdrijf ik de stilte niet. Heb je echt niet even tijd om een glaasje te drinken? Eén glaasje maar.'

'Yvonne verwacht me thuis. Ik heb gezegd dat het vanavond niet laat zou worden.'

'Dan zit er niets anders op. Je moet het drankje maar tegoed houden. Doe Yvonne de groeten.' Ze leek haar teleurstelling overwonnen te hebben. 'Morgen zien we elkaar wel weer.'

Hij dronk haar beeld in toen ze zich nog heel even naar hem omdraaide voordat ze het portier dichtsloeg. 'Welterusten voor straks!'

'Welterusten.'

Hij bleef haar nakijken toen ze naar de deur van de flat liep en die opende. Ze zwaaide niet meer, ze keek niet eens. Hij zag hoe ze de deur achter zich sloot en wachtte totdat hij achter het raam op de hoogste verdieping het licht aan zag gaan. Hij bleef nog even kijken totdat hij haar voor dat raam zag verschijnen. Nu stak ze haar hand wel op. Hij claxonneerde voordat hij de parkeerplaats af reed.

6

'ZOALS DE VERSCHILLENDE KLEUREN OP EEN SCHILDERSPALET, ZO divers zijn ook de bijdragen van de verschillende kunstenaars die verbonden zijn aan 'Vereniging Het Palet'. Onveranderlijk blijft het hoge niveau. Ik voel me gevlijd dat ik als wethouder van cultuur van onze gemeente deze expositie mag openen. Dat ga ik doen door het kunstwerk dat hier voor me staat, te onthullen. Mij is verteld dat daaraan gewerkt is door alle kunstenaars die deel uitmaken van deze expositie.' De wethouder trok het kleurige voorhangsel weg, 'Hierbij verklaar ik de expositie voor geopend.'

Een tableau, vol namen kwam tevoorschijn. Nu was er champagne. Yvonne nam een glas vol bubbeltjes van het blad en keek toe hoe haar zus met de wethouder toastte.

'Ik vind het een hoop gedoe om niks,' hoorde ze haar vader, naast zich, zeggen. 'Moet je nou eens om je heen kijken. Op een kleuterschool kunnen ze het beter.'

Ze glimlachte, nam een slok. 'Je oordeelt te snel, vadertje. Laten we op zoek gaan naar het werk van Yvonne. Je moet verder kijken dan je neus lang is, je verdiepen in de achtergronden van de kunstenaar, dan ontdek je steeds meer in zo'n schilderij.'

Hij snoof vol ongeloof. 'Dat kan iedereen wel zeggen. Voor mij blijft het oplichterij. Heb je al gezien wat ze voor die rommel vragen?'

Ze trok hem mee. Hij had voor deze gelegenheid zijn nette pak aangetrokken. Zijn dunner wordende grijze haar, hing over de kraag. Haar moeder was de hele week al ziek. Als ze mee zou zijn gegaan, zou ze hem zeker eerst naar de kapper hebben gestuurd. Vanmiddag had ze hem er net van kunnen weerhouden met een paar afgetrapte sportschoenen onder zijn pak bij haar in de auto te stappen.

'Waarom is dat nou zo erg?' had hij tegengesputterd. 'Geen mens heeft dat toch in de gaten? Moet je zien hoe die kunstenaars er zelf bij lopen. Je lijkt warempel je moeder wel. Die zeurt ook altijd maar door over kleinigheden.'

'Als vader van een kunstenares moet je er een beetje fatsoenlijk uit-zien,' was haar weerwoord geweest.

'Alsof ik daar om gevraagd heb.'

Ze moest aan zijn woorden denken nu hij met haar meeliep langs de schilderijen. Straks zou hij trots zijn, wanneer hij tussen al die kunstwerken de schilderijen zou vinden die zijn dochter had gemaakt. Af en toe bleef hij nu stilstaan, schudde meewarig zijn hoofd als iets hem niet beviel. 'Zeg nou zelf, dat kan de eerste de beste kleuter toch ook?'

Ze liet hem begaan, keek naar de mensen die in groepjes bij elkaar stonden. Jacqueline was nog steeds druk in gesprek met de wethou-der. Haar zwager Floris ontdekte ze even later bij de werken van Jacqueline.

Hij was net zo oud als Menno, maar leek veel jonger met zijn don-kerblonde krullen en zijn nonchalante kledingstijl, die vooral kleu-rig was. Een oranje zijden sjaal had hij achteloos om zijn hals gesla-gen. Om zijn magere schouders hing een beige colbert, waaronder hij een overhemd met kleurige strepen droeg. Hij had een rode broek aan. Misschien was het niet alleen zijn stijl van kleden. Zijn hele houding droeg bij aan een jeugdige uitstraling.

'Dit is mijn schoonvader,' hoorde ze hem zeggen toen hij hen ont-waarde, 'en dit is mijn liefste schoonzus.' Hij lachte, legde zijn han-den rond haar schouders en kuste haar warm op haar wangen. 'Waar is die man van je?'

Ze deed haar mond open om iets te zeggen. 'Zeg maar niets,' merk-te hij op. 'Ik weet precies waarom hij hier niet is.' Hij knipoogde. 'Sommige mensen weten zich niet los te weken van hun werk.' Hij knipoogde naar haar. 'Ik ben in ieder geval blij dat jij je er niet van hebt laten weerhouden hier te komen. Wat vind je van Yvonnes werk?'

Drie schilderijen hingen op een rij. 'Ze horen bij elkaar,' legde Floris uit. Yvonne heeft dit werk 'Harmonie' genoemd. Het eerste deel beeldt daarbij de geboorte uit.'

Ze ging naast haar vader staan, die aandachtig stond te kijken.

'Hier zie je heel duidelijk wat ze wil zeggen,' meende hij. 'Je ziet als het ware de warmte en veiligheid waarin het kind die negen maanden heeft gezeten.'

Ze vond het vooral donker. Vanuit het donker strekte het kind zijn handen uit naar een lichtere omgeving waarin duidelijk te zien was dat die niet alleen uit plezierige dingen bestond. Yvonne had oorlog geschilderd, maar ook een veld vol bloemen, een kind dat huilde, maar ook een lachend kind op de schommel, een man en vrouw die elkaar omhelsden.

Onder het tweede schilderij staat geen titel. 'Het heeft geen naam,' legde Floris uit. 'Maar het lijkt me wel duidelijk waar het hier om draait.'

Een vurig rood hart domineerde het doek, onttrok de overige kleine voorstellingen bijna aan het gezicht.

'Is het niet wat kort door de bocht te veronderstellen dat het leven vooral uit liefde bestaat?'

'Vooral uit de zoektocht naar de liefde,' verbeterde Floris haar. 'Bewust of onbewust blijven we er steeds mee bezig.'

'Ik vind dat ze het mooi heeft gedaan,' nam haar vader het voor zijn jongste dochter op. 'Je kunt tenminste zien wat ze bedoelt. Dat kun je van die andere schilderijen niet zeggen.'

Ze zweeg, kneep haar ogen tot spleetjes.

'Lees Tolstoi, Goethe, de grote literatuur maar net zo goed de minder grote literatuur,' betoogde Floris vurig. 'Je zult ontdekken dat het om de liefde draait. Soms met een happy end, maar vaker blijft het zoeken en smachten.'

'Wat praat je toch weer hoogdravend,' mopperde haar vader. 'Houd er toch eens rekening mee dat je met een eenvoudige man van doen hebt.'

'Ook eenvoudige mannen weten wel wat liefde is,' reageerde Floris opgewekt.

Ze liet het gesprek aan zich voorbij gaan. De woorden van Floris hielden haar bezig. Lag daarin misschien de kiem van haar onrust de laatste tijd? Voelde ze zich door Menno tekortgedaan, was ze op zoek naar liefde, naar zijn liefde? Hij had zo weinig tijd voor haar; de school leek hem helemaal op te slokken. Ze had gemeend dat haar nieuwe baan de leegte zou opvullen die ze steeds vaker voelde, maar hoewel ze enorm genoot van haar contacten met de jeugd, was die leegte gebleven. Het was alsof Menno van haar wegdreef. In haar nabijheid was hij vaak zo afwezig. Wanneer ze iets aan hem vertelde, had ze meer dan eens het idee dat het niet overkwam. 'Dat zet je aan het denken, niet?' De hand van haar zwager rustte even op haar schouder. Ze herstelde zich. 'Dat laatste schilderij ziet eruit alsof je na de dood terugkeert in de moederschoot,' bracht ze te berde.

'Nee, zusje.' Jacqueline dook ineens op, legde haar arm om de schouder van haar vader. 'Dit schilderij heet inderdaad 'Dood', maar ik wil ermee laten zien dat ik geloof dat de dood niet het einde is. Zoals je het leven begint met het verlaten van de warme en veilige moederschoot, zo eindig je het leven met de terugkeer naar je schepper. De kleuren daar zijn veel warmer, veel vrolijker dan op het eerste schilderij. Nog beter dan in die moederschoot is de terug-keer naar God. Zo heb ik het bedoeld.'

Ze kuste haar vader op de wang. 'Wat fijn dat je wilde komen. Jammer, dat mama nog steeds niet in orde is.'

'Ik maak me zorgen,' hoorde Yvonne haar vader zeggen.

'Ik ook,' was het korte antwoord van haar zus. 'Ik kom morgen nog wel even langs om te kijken hoe het met haar is.'

Ze voelde zich plotseling een buitenstaander. Tegenover haar had haar vader niets van zijn zorgen laten blijken. Jacqueline had veel meer contact met haar vader en moeder dan zijzelf, en ze wist dat dat met meer factoren dan alleen de grotere afstand te maken had. Langzaam liep ze bij de schilderijen van haar jongere zusje vandaan, slenterde langs groepjes pratende mensen, bestudeerde schilderijen, voelde zich steeds minder op haar plaats. Van een afstand bekeek ze het groepje dat voor de schilderijen van Jacqueline stond. Floris, die met graagte een glas wijn van het dienblad nam dat hem werd voorgehouden. Haar vader die trots naast zijn jongste dochter stond, ongemakkelijk in zijn nette pak. En dan Jacqueline, met levendige gebaren vertellend. Ze droeg een strak aansluitende, lange jurk, die naar onderen steeds wijder uitliep en zwierig om haar benen viel. Haar lange haar hing golvend op haar rug, en op haar hoofd droeg ze een soort gehaakt mutsje, dat bezaaid was met glinsterende steentjes in dezelfde azuurblauwe kleur als haar jurk. Om haar heen stonden mensen te luisteren. Ze zag de bewonderende blikken en voelde zich honderd jaar ouder dan haar zus. Ouder, en vooral veel bezadigder.

Het huis van haar ouders stond in een echte arbeidersbuurt, zoals Menno dat altijd aanduidde. Kleine woningen met daarvoor petieterige tuintjes die voor het grootste deel keurig waren aangelegd. In de zomer werden tegen de avond stoelen en krukken naar de voorkant gesleept om ook de laatste zonnestralen nog binnen te kunnen halen. De meeste mensen die er woonden, hadden er het grootste deel van hun leven doorgebracht. Kinderen waren er opgegroeid en waren uitgewaaierd. Hun ouders bleven in de vertrouwde omgeving, werden grijzer, werden wijzer. Ze kenden elkaar, dronken op warme dagen samen een biertje, maar zaten nooit met kratten voor het huis, werden nooit echt dronken. Als er problemen waren, stonden ze voor elkaar klaar, maar ze overliepen elkaar nooit. Yvonne had de buurt altijd beschouwd als een warme jas, waarin ze zich veilig voelde en zich geaccepteerd wist.
'Ga je nog even mee naar binnen?' informeerde haar vader toen ze de auto stilzette voor het smalle pad naar de voordeur.
'Natuurlijk. Ik wil even kijken hoe het met mamma is.'
De zon scheen het voorraam binnen, waar groene planten keurig verzorgd gedijden. Voor het buurhuis zat de vrouw des huizes van de meizon te genieten. Yvonne stak haar hand op.
'Prachtig weertje, hè?' riep de buurvrouw. 'Morgen wordt het slechter, hebben ze voorspeld, dus ik geniet er nog maar zo veel mogelijk van.'
'Gelijk hebt u.'

Ze liep de gang in, waar haar vader haar was voorgegaan.
'Jenny, ben je wakker?' hoorde ze hem naar boven roepen.
'Als ze dat nog niet was, dan is ze dat nu wel,' merkte ze verwijtend op.
Er kwam geen antwoord van boven.
'Ze slaapt toch nog,' concludeerde haar vader.
'Dan kan ik maar beter naar huis gaan. Slapen is goed voor een mens.'
'Ben je mal. Ze zal het jammer vinden als ze hoort dat je hier bent geweest en je niet heeft gesproken. We drinken eerst samen een kopje koffie en dan ga je maar even boven kijken.'
Ze ging in de grote leren stoel voor het raam zitten, keek de kamer rond, waar alles getuigde van haar moeders zorgende hand. In de keuken floot haar vader. Het was werkelijk verwonderlijk dat haar moeder niet wakker was geworden.
Waarschijnlijk was ze na al die jaren samen gewend geraakt aan de geluiden die haar vader produceerde.
'Ik heb maar een kopje oploskoffie gemaakt.' Hij kwam met twee mokken de kamer in. 'Dat gaat veel sneller. Lust je er een plak ont-bijtkoek met boter bij?'
'Ik heb net genoeg hapjes gehad.'
Hij liet zich op de bank zakken. 'Het was toch een mooie middag. Jammer dat je moeder er niet bij kon zijn. Ze zou het prachtig heb-ben gevonden.'
'Je maakt je zorgen om mamma, hoorde ik je tegen Jacqueline zeg-gen.'
'Ze is zo stil, zo bleek, zo anders dan anders.'
'Ze heeft een stevige griep.'
'Daarvoor al. Ze is veel sneller moe dan anders. Ik wil graag dat ze naar de dokter gaat, maar daar wil ze niet van weten. Je weet wel hoe mirakels eigenwijs je moeder kan zijn.'
'Voordat je daadwerkelijk griep krijgt, voel je je meestal al een poosje niet echt lekker.'
'Misschien heb je daar wel gelijk in, maar het maakt me toch on-

rustig. Nu ligt ze ook al zo lang te slapen. Je weet dat ze al sliep toen we weggingen. Het is toch niet normaal dat een mens zo lang slaapt.'

'Waarschijnlijk is ze tussendoor wel wakker geweest,' probeerde ze haar vader gerust te stellen, maar het leek niet echt te lukken. Hij pakte zijn mok van de tafel en zette die zonder eruit te drinken terug. 'Dat kan best zijn, maar toch zit het me niet lekker. Ik denk dat ik even boven ga kijken.'

Op de een of andere manier maakte zijn onrust haar bang. De stilte in huis, die ze even daarvoor nog gewoon had gevonden, kwam haar plotseling onaangenaam voor.

'Ik loop met je mee,' zei ze en ze klopte hem bezwerend op de schouder. Hij liet haar voorgaan de trap op.

'Mamma, ik kom even boven!' riep ze, en ze wist zelf niet waarom. Normaal liep ze altijd zo naar de slaapkamer van haar ouders als een van tweeën ziek was. 'Ze slaapt echt goed,' merkte ze op toen reactie uitbleef, en haar onrust groeide. Haar vader was bleek geworden.

Zij was de eerste die de slaapkamer binnenliep. 'Ze slaapt gewoon,' merkte ze opgelucht op toen ze haar moeder in bed zag liggen. 'Misschien moeten we haar maar laten slapen.'

Ze bleef staan. Toch klopte er iets niet. Er was een verschil tussen de rust van de slaap en de roerloosheid die zich nu over haar moeder had ontfermd. Ze liep naar het bed. 'Mamma ...' Er volgde geen reactie. Tegen beter weten in schudde ze aan haar schouder. 'Mamma ...' zei ze nu dringender. 'Mam, toe ...'

'Jenny ...' Haar vader drong haar aan de kant, schudde haar moeder door elkaar. 'Jenny, doe niet zo idioot. Dit is niet grappig!' Ze keken elkaar aan, hoopten nog steeds op een grapje en wisten eigenlijk allebei dat het bittere ernst was.

'Doe iets!' schreeuwde hij ineens. 'Bel een dokter, laat een ambulance komen. Doe toch iets!'

Ze handelde, belde het alarmnummer, zette de voordeur open en was er tegelijkertijd van doordrongen dat het allemaal niets zou baten.

7

DE DAG VAN DE BEGRAFENIS WAS HUILERIG. BIJ HET MINSTE OF GERING-
ste barstte een hoosbui los. Tranen ketsten tegen de ramen van de
zwarte auto en gleden mismoedig naar beneden.
Verbijsterd zag ze even later vanonder de grote donkergroene paraplu die Menno voor haar ophield, de kist zakken in de kille grond
van de begraafplaats. Ze voelde de koude hand van Constantijn in
de hare, luisterde naar de woorden van de dominee die sprak over
een leven na dit leven. Regen op de paraplu's overstemde bijna het
lied dat ze met z'n allen zongen, het lied dat haar moeder zelf zo
graag zong, 'Stil maar, wacht maar, alles wordt nieuw ...'
Nadien schudde ze ontelbare handen, bracht samen met Jacqueline
haar vader naar huis, en bleef tot de avond bij hem. De buurvrouw
verzekerde haar dat ze hem wel een beetje in de gaten zou houden.
Zij beloofde de volgende dag nog even langs te komen.
Met het aanbreken van die dag leek het weer een punt achter de
loodzware grijsheid te hebben gezet. Bij het ontwaken zag ze de zon
door de lichte gordijnen in de slaapkamer.
'Ga je vandaag weer aan het werk?' wilde Menno weten.
'Ik ga volgende week weer beginnen. Vandaag ga ik nog even naar
mijn vader.'
'Daar ga je toch hopelijk geen gewoonte van maken?'
'Hoe bedoel je?'
'Die man zal zichzelf toch moeten leren redden. Je moet hem niet
te veel verwennen, want dan zit je er voor de rest van je leven aan
vast.'
'Mijn moeder is gisteren begraven. Het lijkt me niet zo raar dan
vandaag nog even langs te gaan om te zien of hij zich wel redt.'
'Vandaag is prima. Als je maar niet dagelijks gaat.'
'Ik ga zolang hij me nodig heeft,' merkte ze scherp op.
'Dat moet jij weten, maar kom later niet bij me klagen omdat je
vader het heel gewoon vindt dat je hem dagelijks vertroetelt.'
'Ik zal je er niet mee lastigvallen.'

'Wat is dat nu weer voor opmerking? Ik zie gewoon voorbeelden om me heen waarbij het wel zo gegaan is. Jacob van Mulligen bijvoorbeeld wordt elke zaterdagmorgen bij zijn moeder verwacht. Hij klaagt steen en been, maar ik heb geen medelijden met hem. Ooit is hij er zelf mee begonnen. Die oude mensen kun je dan niet kwalijk nemen dat ze menen dat het zo zal blijven.'

Hij dronk zijn kop koffie leeg. 'Ik ben in ieder geval blij dat ik weer aan het werk kan. Wat een gedoe toch met zo'n begrafenis. Ik heb me in stilte rot gelachen om al die mensen die zo nodig iets vriendelijks tegen je willen zeggen. Dan komen ze met zo'n meelevend gezicht aan, kloppen op je schouder en zeggen met hun begrafenisstem: 'Veel sterkte hoor.' Alsof dat het ook maar iets beter maakt.'

Hij stond op, kuste haar op de wang. 'Gelukkig is het achter de rug. Een prettige dag!'

Ze keek hem na, zag hoe hij de garagedeur opende, de auto eruit reed en zijn hand opstak. Het voelde alsof hij haar in de steek liet. Op de weg voor hun huis reed een groep scholieren voorbij. Opgewekte stemmen drongen tot haar door. Een auto remde vlak voor hun inrit en reed toch weer door. Op de akker naast hun huis reed een tractor, een eind verderop kleurden rode tulpen het land. Het geheel werd overgoten met uitbundig zonlicht. Ze wilde het liefst naar bed om er niets meer van te zien. De wereld leek de spot te drijven met de dood van haar moeder, het leven trok zich niets aan van haar verdriet. Binnenkort werd ze weer op school verwacht om gewoon les te gaan geven. Hoe had ze het toch ooit belangrijk kunnen vinden weer voor de klas te staan?

'Mamma, ik ga naar school.' Constantijn stak zijn hoofd om de deur, liep toch even de kamer in, sloeg zijn armen om haar heen. 'Ik vind het eigenlijk helemaal niet zo fijn weer naar school te gaan. Ik ben bang dat ik ga huilen.'

'Je mag huilen. Je oma is overleden. Het is niet meer dan normaal dat je daar verdrietig om bent.'

'Iedereen zou het stom vinden als ik ga huilen.'

'Dat geloof ik niet. Iedereen zal begrijpen dat je verdriet hebt. We geloven dan wel dat oma in de hemel is, maar we zullen haar heel erg missen. Bovendien is de dood iets waar we bang voor zijn, ook als je gelooft dat er een leven na dit aardse leven is. Voor ons is het nog steeds heel erg onbekend. Niemand is ooit teruggekeerd om te vertellen hoe het is. Gelukkig mogen we op God vertrouwen. Hij wil ons troosten, maar het blijft moeilijk te accepteren dat we nooit meer met oma kunnen praten.'

'Het lijkt me zo naar om bij opa te zijn nu oma er niet meer is,' merkte hij op.

'Dat is ook naar, voor hem nog meer dan voor ons. Hij zal ons de komende tijd hard nodig hebben, jongen.'

'Ik ga erheen zo vaak als ik kan.' Er belandde een kus op haar wang. 'Mam, jij kunt toch niet zomaar doodgaan?'

Ze wist niet goed wat ze moest zeggen, en schudde langzaam haar hoofd. 'Achteraf kun je zeggen dat oma zich al een poosje niet lekker voelde. Waarschijnlijk zat dit er toen al aan te komen. Ik voel me wel verdrietig, maar verder kiplekker, hoor.'

'Gelukkig maar.' Buiten klonk het geluid van een fietsbel. 'Daar is Rogier al,' schrok hij en ze zag hoe hij zijn schouders optrok, een beetje stoer, zijn verdriet wegdrukkend. Ze staarde hen na toen ze wegfietsten, en schonk zichzelf nog een kop koffie in. Toen ze die leeg had, stapte ze in haar auto om naar haar vader te gaan.

'De dood was nog zo ver weg toen ik dat schilderij maakte.' Jacqueline zat in een hoekje van de bank. Zij in de hoek ertegen over. Allebei meden ze de stoel waar haar moeder meestal zat. Het huis leek uitgestorven ondanks hun aanwezigheid. 'Het is onvoorstelbaar dat ik zaterdagmiddag een fantastische middag meemaakte, terwijl mijn moeder stierf.'

'Dat wisten we geen van allen. Anders waren we niet gegaan. Met de dood valt niet altijd rekening te houden,' zei haar vader. 'Mamma is zo ingeslapen. Het moet mooi zijn in je slaap de overstap naar dat leven met die warme, vrolijke kleuren van je schilderij te maken. God heeft haar geroepen, en als mens kun je dan niet anders dan aan die uitnodiging gehoor geven. Het moet geweldig zijn als God je nodigt.'

De buurvrouw liep voor het huis langs. Ze keek naar binnen en stak haar hand op. Haar vader leek het niet te zien. Yvonne nam de honneurs waar en beantwoordde de groet.

'Floris heeft het er ook zo moeilijk mee,' hoorde ze Jacqueline zeggen, en ze vroeg zich af of Menno ook verdriet om haar moeder had. Hij uitte zich niet makkelijk en kon vooral met emoties slecht uit de voeten. Misschien had hij er vannacht over nagedacht dat hijzelf op een dag zijn ouders ook zou moeten missen. Ieder kind moest zich, normaal gesproken, voorbereiden op het feit dat hij op een dag geen ouders mee zou hebben. Ze had wel gemerkt dat hij in bed had liggen woelen, maar ze wist dat hij zijn gedachten niet zou delen als ze ernaar vroeg. Daarom had ze gezwegen en stilletjes naast hem gelegen. 'Gelukkig is het achter de rug,' had hij vanmorgen gezegd. Zou hij dat echt zo zien? Of zou hij daarmee alleen zijn eigen angsten het zwijgen willen opleggen?

'Floris kan zo emotioneel reageren, maar hij voelt me wel prima aan,' ratelde Jacqueline door. Zoals altijd gebruikte ze haar hele lichaam om haar woorden kracht bij te zetten. Met haar benen gekruist onder zich op de bank leek ze op een jong meisje. Hoe kon het toch dat Jacqueline altijd dat jeugdige had gehouden, dat tere waardoor mannen altijd de neiging kregen haar te beschermen? Nu was haar vader naar zijn jongste dochter toe gelopen en op de rand van de bank gaan zitten. Zijn arm lag beschermend om haar schouders. 'Floris is altijd als een zoon voor mamma geweest.'

Had niemand in de gaten hoe die woorden haar kwetsten? Hoe alleen ze zich voelde?

'Ik ga nog maar eens koffie zetten,' zei ze terwijl ze opstond. 'Jullie lusten zeker nog wel een bakje?'

'Als jij er niet was,' zei haar vader, maar ze wist zeker dat zijn leven er niet heel hevig onder zou lijden als zij er niet meer was.

8

'IK BEN WERKELIJK DIEP TELEURGESTELD,' ZEI ZE. ZE HAD DE STAPEL proefwerken in haar hand. 'De afgelopen weken heb ik er steeds op gehamerd dat er dingen zijn die eenvoudigweg geleerd moeten worden. Een van die dingen is het Duitse idioom. Ik had niet het idee dat iemand daar problemen mee had.' Ze wachtte even, maar er kwam geen reactie. 'Tot mijn grote verbazing blijkt uit dit proefwerk dat er toch grote problemen zijn.' Ze keek naar de gezichten die ze inmiddels zo goed had leren kennen.

'Het was heel erg moeilijk,' waagde iemand op te merken.

'Het was helemaal niet zo moeilijk.'

'Voor iemand die goed is in Duits misschien.'

'Voor iemand die het goed heeft geleerd. Het blijft een kwestie van leren. Gewoon uit je hoofd leren.'

Ze zuchtte en begon de proefwerken uit te delen. Drieën, vieren en vijven, een paar zessen en zevens, één negen. 'Jij vond het dus niet moeilijk?'

Reinier de Rooi keek haar aan. Heldere blauwe ogen, omkranst door lange donkere wimpers, die bijna vrouwelijk te noemen waren, haakten zich vast in haar blik. Er krulde een smalle glimlach om zijn dunne lippen. 'Ik ben geïnteresseerd in de Duitse taal, dan is het minder moeilijk.' Hij glimlachte naar haar, en ineens leken al die beroerde cijfers minder erg. Ze had de neiging over zijn lichtblonde haar te strijken dat weerbarstig om zijn oren krulde.

'Het is dus zeer wel mogelijk de stof te beheersen,' zei ze nadat ze alle papieren had rondgedeeld. 'Voor nu lijkt het me goed de stof te herhalen. 'Reinier, misschien kun jij vertellen hoe je de zin 'Het raam kijk uit op de binnenplaats ' vertaalt.'

Ze ging op haar stoel zitten en keek de klas rond terwijl Reinier antwoordde dat je dan 'Das Fenster geht auf den Hof' zei. Ze knikte goedkeurend en liet hem nog een paar zinnen vertalen.

Er was de afgelopen tijd iets in haar veranderd. Idealen hadden plaats moeten maken voor de werkelijkheid, en die werkelijkheid was dat vrijwel geen leerling echt geïnteresseerd was in wat zij hun bij wilde brengen. Daarbij was het vak uitgehold. Schiller, Goethe en Rilke zouden niet eens aan bod komen. In de afgelopen jaren was er veel veranderd, en ze had er moeite mee dat te accepteren. 'Saskia, weet jij wat men in Duitsland zegt als men wil aangeven dat het daar vrolijk toegaat?'

'Da geht es lustig her,' wist Saskia.

'Waarom heb je dat dan niet als antwoord gegeven tijdens de repetitie?'

Saskia haalde haar schouders op.

Misschien was ze overgevoelig na het overlijden van haar moeder. Ze had er moeite mee gehad weer aan het werk te gaan. Het feit dat iedereen gewoon verder leefde, vervulde haar met onbegrip, hoewel ze in haar hart wist dat het de normale gang van zaken was. Haar bezigheden leken zinloos. Een zinloosheid die nog eens bevestigd werd door cijfers die niets weergaven van de moeite die zij zich getroost had om haar leerlingen de stof bij te brengen. Misschien moest ze Menno gelijk geven, was het uiteindelijk zijn manier geweest om met de nieuwe ontwikkelingen om te gaan. Managen in plaats van doceren. Er was geen plaats meer voor idealisme.

'Ik wil nu graag dat jullie voor jezelf een aantal zinnen opschrijven waarin je deze nieuw verworven uitdrukkingen gebruikt,' zei ze nadat Saskia een aantal vertalingen had afgeraffeld, en ze keek toe hoe schriften werden geopend en onder veel gezucht de eerste zinnen werden neergepend.

Ze pakte haar eigen pen en tekende rondjes op het papier voor haar. De laatste tijd voelde ze zich ouder dan ooit. Iets van haar jeugd leek samen met haar moeder het graf in gegaan, maar ergens voelde ze dat er meer was, dat ze vocht tegen iets ondefinieerbaars dat haar dreigde in te halen. Er werd onderdrukt gegrinnikt in de klas, er klonk gefluister. Ze liet het gaan, wachtend op de zoemer die een einde aan deze les zou maken. Voordat de tassen met veel lawaai op de tafels werden gesmeten om de boeken in te pakken, gaf ze huiswerk op. Veel huiswerk. 'Uiteraard kunnen we niet alleen herhalen, maar moeten ook verder met de stof,' legde ze uit toen er gemopper klonk. 'Jullie zijn nu aan zet. Ik wil me inzetten om jullie te helpen met het stampen van deze uitdrukkingen. Jullie moeten laten zien dat jullie daadwerkelijk willen stampen.'

Luidruchtig werden tassen ingepakt. Zij pakte de hare ook in. Haar schooldag zat er weer op. Reinier talmde. Ze zag het. Zij deed het ook wat trager. Iedereen liep de klas uit. Reinier liep naar voren, tot aan haar bureau. 'Ik heb van de week bij een zaak met tweedehands boeken een paar titels van Ludwig Anzengruber gekocht,' meldde hij. 'Ooit van gehoord?'

'Der Sternsteinhof,' zei ze verrast, of 'Der Meineidbauer' of 'Der Lump'. Ik heb zelf thuis ook werk van hem. Hoe kom jij daar zo op?'

Hij haalde z'n schouders op. 'Mijn tante is Duitse. Ze is met een broer van mijn moeder getrouwd en ze hebben samen nooit kinderen gekregen. Af en toe ga ik met hen mee op vakantie. Vorig jaar waren we in Oostenrijk, en daar werd 'Der Sternsteinhof' in een openluchttheater opgevoerd. Hoewel dat natuurlijk in eerste instantie vooral een geschiedenis vol intriges lijkt, blijkt er bij nader inzien toch veel meer in te zitten. In Oostenrijk wist ik toen al een pocket met 'Der Meineidbauer' op de kop te tikken. Ik moest even wennen aan het dialect dat in de roman wordt gesproken, maar uiteindelijk was het zeer de moeite waard om door te zetten. Heel duidelijk uit hij in dat stuk kritiek op de maatschappij.'

Het was haar al eerder opgevallen dat Reinier zich zo goed wist uit te drukken. Hij leek misschien daardoor veel ouder, veel wijzer dan zijn leeftijdgenoten, bij wie hij weinig aansluiting leek te vinden. Meer dan eens had ze hem in de pauze alleen zien zitten, maar op een of andere manier wekte hij niet de indruk dat hij daar moeite mee had. 'Het is heel bijzonder dat jij zo geïnteresseerd bent in de Duitse taal,' zei ze.

'Het is misschien nog meer bijzonder dat u zo geïnteresseerd bent. Mijn opa en oma moesten niets van Duitsland en de Duitsers hebben. Ze waren eerst ook helemaal niet blij met mijn tante. Uw

ouders zullen de oorlog toch ook hebben meegemaakt?'
Ze glimlachte. 'Misschien maakt het verschil of je daadwerkelijk geliefden in de oorlog hebt verloren of op een andere manier geleden hebt of niet. Mijn ouders zijn tamelijk rustig door die oorlog gerold. Mijn vader zegt altijd dat niet alle Duitsers oorlog wilden, dat er genoeg waren die niet anders konden.'
'Mijn opa heeft in het verzet gezeten.'
'Dat maakt een groot verschil.' Ze stond op. 'Het wordt tijd om naar huis te gaan.'
Hij knikte, pakte zijn tas op, maar aarzelde toch. 'Zou ik misschien eens wat boeken van u mogen lenen?'
'Kun je niet beter eerst in de bibliotheek kijken?'
'Daar komen ze niet verder dan Kästner.'
'Erich Kästner is ook niet onaardig, en bovendien heb ik het idee dat je overdrijft. Ik weet zeker dat Böll, Kafka en Lenz er te vinden zijn.'
'Ik wil meer, en de keuze daar is te beperkt.' Hij klonk zelfverzekerd.
'Dan moeten we maar eens kijken wat we daaraan kunnen doen.' Ze gespte haar tas dicht. 'Vind je het goed dat ik thuis iets voor je uitzoek?'
Hij knikte. 'Natuurlijk. Ik zou er wel graag over door willen praten. Soms kom ik dingen tegen die ik niet begrijp of die me erg aanspreken. Zou dat na schooltijd niet een keer kunnen?'
'Heb jij niets beters te doen na schooltijd?'
'Nee,' reageerde hij beslist, stak zijn hand op en liep de klas uit.
'Yvonne, ben je ook klaar?' Bettine Schaafsma stak haar hoofd om de deur.
'Ja,' zei ze, en inspecteerde het bureau vooraan in de klas nog eens om zichzelf ervan te overtuigen dat ze werkelijk niets was vergeten. 'Wat een vreemde jongen is dat toch, die jongen van Van Rooi.' Ze liep met Bettine naar de lerarenkamer.
'Als je daar een klas van vol hebt, kun je op je gemak je beroep uitoefenen.' Bettine grijnsde. 'Nooit eerder heb ik een meer geïnteres-

seerde leerling meegemaakt. De afgelopen twee jaar had ik hem in de klas, maar af en toe kreeg ik het idee dat hij de stof nog beter kende dan ik. Hij weet werkelijk heel veel van Duitse literatuur. Ik heb me wel eens afgevraagd of hij ergens nog Duitse wortels heeft.'

'Een tante van hem is Duitse, maar die is getrouwd met de broer van zijn moeder, dus er is op dat gebied geen sprake van erfelijkheid.'

'Het hoeft natuurlijk ook niet altijd erfelijk te zijn. Bij mij is daar ook geen sprake van. Bij jou wel?' Bettine diepte een appel uit haar tas op, wreef die langs haar donkerbruine rok en nam een hap.

Yvonne schudde haar hoofd. 'Bij mij kwam het doordat mijn ouders ons altijd meenamen naar Oostenrijk. Elke vakantie weer zaten we in pension in Auffach, een klein dorpje niet ver van de Duitse grens. Daar is het fundament voor mijn liefde voor de Duitse taal gelegd. Er werd daar natuurlijk in dialect gesproken, en als klein kind scheen ik dat al heel goed te kunnen nadoen.' Ze glimlachte. 'Het mooiste vond ik altijd de bergwandelingen. Eindeloos klimmen zonder iemand tegen te komen. Op een of andere manier heb ik me daar altijd heel erg gelukkig gevoeld.'

'Mijn ouders kwamen nooit verder dan Gaasterland,' bekende Bettine. 'Elk jaar weer togen wij met ons tentje naar Friesland. Voor mij heeft de keuze voor dit vak niets met nostalgie te maken. Ik was goed in talen, had een prima gevoel voor Duits en ben het daarom gaan studeren.' Ze kauwde een grote hap Granny Smith weg.

'Ik zou het vak zo graag meer inhoud willen geven,' bekende Yvonne.

'Neem van mij aan dat elke docent op dit moment zo denkt. Het is goed dat er een keuze is voor leerlingen, maar Duits op het eerste niveau stelt nauwelijks iets voor. Datzelfde geldt voor Frans. Ik kan me eigenlijk niet indenken dat het zo blijven zal. Onderwijs is voortdurend in beweging. Let op mijn woorden, over een poosje is er weer sprake van verandering.' Ze hield de deur van de lerarenkamer voor Yvonne open. 'Zal ik je maar een kop koffie inschenken?' Het was rustig. Een paar collega's zaten aan een tafel te lezen en beantwoordden afwezig hun groet. Yvonne keek in haar postvak. Met haar verhaal over Auffach was er ineens weer iets losgekomen, een gevoel dat ze het beste als heimwee kon betitelen. Intens verlangen naar dagen die nooit meer terug zouden komen. Ze zag zichzelf nog met Jacqueline en haar ouders de Lämpersberg op klauteren. De pensionhoudster, die zij liefkozend 'oma Holzer' noemden, had nog een zoon thuis wonen, die evenals haar vader een verwoed visser was. Rupert Holzer had haar vader laten weten dat hij een prachtig stekje wist dat boordevol forel zat. Uiteraard had haar vader daar wel oren naar. Rupert wees de weg en beloofde later zelf ook te komen. Bloedheet was het die dag geweest, en puffend waren ze naar boven geklommen totdat ze de berghut hadden bereikt. Een niet al te vriendelijke man had hun daar gevraagd wat ze er zochten, en haar vader had de instructies van Rupert Holzer overgebracht. 'Zeg maar dat ik er ook aan kom en dat we voor een rijkelijke avondmaaltijd zullen zorgen,' had Rupert hem opgedragen te zeggen.

Bij de naam Rupert Holzer had de man zijn schouders opgehaald. Die kende hij niet. Vervolgens had haar vader ook maar over de rijkelijke maaltijd gezwegen.

'Dürfen wir warten?' had haar vader gevraagd, en brommend had de man toestemming gegeven, nadat hij hen wel geattendeerd had op het weer. 'Het ziet er nu nog goed uit, maar er zit onweer in de lucht. Let op mijn woorden.'

Een uur later was Rupert daadwerkelijk gekomen. De eerste donkere wolken hadden zich toen al boven hen verzameld. In de verte rommelde het. Rupert had een kort gesprek gevoerd met de eigenaar van de hut, die had gebromd dat ze hadden moeten zeggen dat het om 'Schuster Rupert' ging. Dan zou hij het hebben begrepen. Rupert had uitgelegd dat zijn overleden vader schoenmaker was geweest, en dat ze met 'Schuster Rupert' in het dorp eigenlijk bedoelden 'Rupert van de schoenmaker'. Het onweer was snel naderbij gedreven. Er zat niets anders op dan de terugreis te aanvaarden. Later had haar moeder bekend dat ze doodsbang was geweest, maar tegenover hen had ze het doen voorkomen alsof het een groot avontuur was. Felle bliksemflitsen volgden de donderslagen steeds sneller op. Rupert had Jacqueline op zijn rug genomen. Zij liep bij haar vader aan de hand. Ze herinnerde zich nog dat ze een beetje jaloers was geweest op Jacqueline, maar ook dat ze zich veilig had gevoeld. Veilig, ondanks het gevaarlijke weer. Misschien was dat wat ze in dat schitterende dal, de Wildschönau, altijd weer ervaren had. Een gevoel van veiligheid, van warmte, van volkomen zichzelf kunnen zijn. Later had ze dat nergens meer zo ervaren.

'Zat er iets interessants in je postvak?' klonk de spottende stem van Bettine achter haar.

Verward draaide ze zich om. 'Je stond zo naar dat briefje in je handen te staren,' verklaarde Bettine. Ze grijnsde. 'Er staat hier koffie voor je.'

Ze probeerde zich opgewekt voor te doen. Alles in het leven ging voorbij. De pijn die ze nu om haar moeder voelde zou ook voorbijgaan. Het gemis zou blijven, maar ze zou ermee leren leven. Bettine had een gesprek met een collega aangeknoopt. Ze probeerde het te volgen, maar haar gedachten bleven achter. Met kleine slokken dronk ze van haar koffie. Ze schrok op toen Bettine ineens overeind veerde. 'Wat is er buiten aan de hand?'

Nu hoorde zij het gejoel vanaf het plein ook. Met een blik door het raam zag ze dat het om Reinier ging. Zijn tas werd over het schoolplein gegooid; boeken vlogen overal heen. Zonder na te denken vloog ze de lerarenkamer uit, de trap af, het plein over. Ze was er tegelijk met Bouwe Verbaan van geschiedenis. 'Wat is dit voor iets achterlijks?' hoorde ze hem bulderen. 'Zijn we hier nog op de kleuterschool of zo?'

Zij liep naar zijn tas, pakte de gehavende boeken bij elkaar en schoof ze er behoedzaam weer in. Langzaam liep ze terug naar de groep, waarvan nu Bouwe het middelpunt was. Ze hoorde hem praten over respect, over praten met je mond, over geweld dat niets oploste. Zwijgend overhandigde ze Reinier de tas, slenterde bij de groep vandaan, de school weer in, waar ze de laatste slok koffie uit haar kopje dronk en haar jas aantrok.

'Wat was er aan de hand?' wilde Bettine weten.

Ze moest het antwoord schuldig blijven.

'Ik wist niet dat jij zo snel kon zijn,' hoorde ze een andere collega zeggen.

Ze glimlachte. 'Soms denk je er niet over na. Of het verstandig is, blijkt dan pas later.'

Traag daalde ze nu de trap af. Ze nam de voordeur, zodat ze niet weer over het schoolplein hoefde te lopen. Naast haar auto ontdekte ze Reinier.

'Heb je je pijn gedaan?' wilde ze weten.

Hij schudde zijn hoofd.

'Waar ging het om?'

Opnieuw schudde hij zijn hoofd.

'Je gaat toch niet zomaar vechten.'

Hij haalde zijn schouders op.

'Dan moet je het zelf maar weten,' zei ze en opende het portier van haar auto.

'Dat weet ik ook wel.' Zijn lip was dik.

'Je jas is stuk,' merkte ze op.

'Ik krijg van mijn moeder zo een nieuwe.'

Ze keek hem oplettend aan,maar zijn gezicht verried niets van spot.

'Zo is het nu eenmaal,' zei hij.

Ze zuchtte en ging zitten. 'Als ik je ergens mee kan helpen, moet je het maar zeggen,' bood ze aan voordat ze de auto startte.

'Ik zal eraan denken.' Zijn ogen rustten op haar. Ze zag hoe hij haar bleef nakijken toen ze wegreed. Vlak voordat ze de bocht omging, stak ze haar hand op.

9

ZE VEEGDE DUITSE NAAMVALLEN VAN HET BORD. IN DE GANG KLON-
ken voetstappen van leerlingen. Voor haar was het laatste uur van
de dag voorbij. Veel leerlingen moesten nog een poosje door. Op
haar horloge zag ze dat het één uur was. Ze zou nog even bij haar
vader langs kunnen rijden. Vlak bij zijn huis stond een viskraam.
Hij was niet alleen dol op het vangen van vis, maar evenzeer op het
consumeren ervan. Ze wilde hem verrassen. De sterfdag van haar
moeder was nu een maand geleden; de frequentie van haar bezoe-
ken was aanzienlijk minder geworden. Het leven ging door, had ze
gemerkt, en het sterven van haar moeder was beter hanteerbaar
wanneer ze in haar eigen omgeving was. In haar ouderlijk huis trof
haar elke keer weer de leegte, was het gemis ronduit pijnlijk.
'Je vader redt zich prima zonder jou,' had Menno gezegd. 'Zo zie je
maar weer dat niemand onmisbaar is. Hij kookt tegenwoordig zelf,
hij heeft zijn huis aan kant.'
'Tegenover jou laat hij zijn verdriet niet merken,' had ze gezegd.
'Daar zit ik ook niet echt op te wachten.'
Ze legde de wisser op de rand onder het bord en pakte haar tas. In
de lerarenkamer keek ze haar postbak na en liep toen naar haar
auto. Leerlingen zaten buiten van de warme junizon te genieten.
Sommige aten hun boterhammen, anderen rookten, een paar jongens zaten op de stoeprand, vlak bij haar auto. Naast haar auto
stond Reinier met 'Die Wahlverwantschaften" van Goethe in zijn
hand.
'Heb je het nu al uit?' informeerde ze verrast.
'Ik heb het in één adem uitgelezen.'
'Wat vond je ervan?'
'Ontroerend, romantisch en treurig, maar ook intrigerend hoe alles
in dit boek met elkaar verbonden lijkt.' Opnieuw verwonderde ze
zich over hem.
Ze zou meer van hem willen weten, hem willen vragen hoe het
kwam dat hij zo heel anders was dan zijn leeftijdgenoten. In plaats

daarvan merkte ze op: 'Eigenlijk is er in al die jaren nog niets veranderd. Nog steeds draait het in romans om liefde, relaties en bedrog.'

'Dat is het leven,' zei hij.

Ze opende het portier van haar auto, zag hoe een paar klasgenoten hen belangstellend opnamen en voelde zich ongemakkelijk.

'Als je er prijs op stelt, zal ik binnenkort wel weer een roman voor je meenemen,' beloofde ze.

'Graag meer dan één. Je hebt nu gezien dat ik er zo door ben.' Hij pakte zijn tas. 'Ga je nu naar huis?' wilde hij weten.

'Nee, ik rijd nog even langs mijn vader.'

'Het lijkt me moeilijk als je moeder overlijdt.'

'Het ís ook moeilijk.'

'Sterkte.'

Hij stak zijn hand op en draaide zich om toen ze de motor startte. Ze zag hoe hij het schoolplein op liep. Vanaf het muurtje werd door klasgenoten iets geroepen. Hij deed alsof hij het niet hoorde.

Ze had lekkerbekjes gekocht. De geur trok door haar auto en deed haar watertanden. Voorzichtig zette ze de auto langs de stoeprand en verheugde zich op het verraste gezicht dat haar vader zou zetten. Ze belde niet aan, maar opende de voordeur met haar eigen sleutel. In de kamer was niemand te zien. Toch hoorde ze stemmen. Door het raam ontdekte ze haar vader achter het huis. Met de buurvrouw stond hij bij de rozen die haar moeder altijd met zo veel liefde had verzorgd. Ze liep door de keuken naar achteren, zag hoe haar vader opschrok van haar plotselinge aanwezigheid. 'Kind, ik heb je helemaal niet horen komen.'

'Ik wilde je verrassen.' Ze knikte naar de buurvrouw.

'Dat is aardig van je,' zei de buurvrouw.

'Ik heb twee lekkerbekjes.' Ze aarzelde even. 'Als u ook zin hebt in een lekkerbekje?'

'Welnee. Ik heb net met Harmen ... met je vader gegeten.'

'Ik heb ook niet veel trek,' bekende haar vader. 'Lidy had nog een kliekje over van gisteren, en dat was genoeg voor ons tweeën.'

Ze voelde zich vreemd onhandig met de twee lekkerbekjes in haar hand.

'Ik zal een bordje halen, zodat jij kunt eten,' stelde haar vader voor, maar hij keek erbij alsof hij hoopte dat ze zou weigeren.

'Ik ga thuis wel eten,' zei ze prompt. 'Doe geen moeite.'

'Je vindt het toch niet erg? Je was ook wel een beetje laat. Ik eet meestal tegen half een.'

'Jullie aten altijd brood tussen de middag. Ik dacht dat daar nog wel een lekkerbekje achteraan kon.'

'Lidy eet altijd warm tussen de middag.'

'Het geeft niet,' zei ze maar het voelde alsof het verdriet om haar moeder groter was geworden. Of ze op deze dag nog eens was gestorven. Ze kon het niet meer opbrengen opgewekt te zwaaien toen ze wegreed. Nu maakte de geur van gebakken vis haar bijna onpasselijk. Bij een vuilnisbak stopte ze en gooide ze het tasje weg. Langzaam liet ze haar auto weer optrekken en reed naar huis.

De avond was nog vol lichte geluiden. Er reden veel fietsers op de weg voorbij. Op het terras kon ze hun opgewekte stemmen horen. Constantijn had het grootste deel van de avond binnen gezeten met twee vrienden. Hun gelach klonk af en toe op wanneer de film die ze bekeken, ongekend humoristisch was. Het ergerde haar; ze had de tuindeuren gesloten om hun lachen te temperen. Menno was naar een vergadering van het gemeentebestuur om dat op de hoogte te stellen van de voortgang van de nieuwbouw en over de bouwkosten te spreken, waarvan nu al bekend was dat ze door onvoorziene omstandigheden wat hoger uitvielen dan geraamd. Zij had in de tuin gewerkt en was later op het terras gaan zitten met een fles vermout onder handbereik. Elke keer wanneer ze het glas oppakte, tinkelden de ijsblokjes tegen het glas. De vermout was lekker zoet. Met iedere slok die ze nam, vervaagden de scherpe randjes van het beeld van haar vader met de buurvrouw in de tuin een beetje meer. Ze leunde achterover en dacht aan het gesprek dat ze met

Jacqueline had gevoerd. Thuisgekomen had ze haar zus gebeld. Met wie zou ze beter haar verontwaardiging kunnen delen dan met haar zus?

'Wat had je dan gewild?' had Jacqueline gevraagd. 'Dat hij de hele dag huilend achter de geraniums bleef zitten?'

'Dat is overdreven. Je begrijpt heel goed dat ik dat niet van hem verwacht, maar ik ben geschokt omdat hij een maand na het overlijden van mamma al aanpapt met die buurvrouw.'

'Wie zegt dat hij ermee aanpapt?'

'Zoals ze daar samen in de tuin stonden. En ze had daar nota bene gegeten.'

'Had je dat ook erg gevonden als het een buurman was geweest?'

'Pappa en mamma aten tussen de middag altijd brood omdat pappa het niet prettig vond 's avonds brood te eten. Hij was gewend warm te eten toen hij nog werkte, en dat wilde hij blijven doen toen hij ermee gestopt was. Mamma heeft zich daarin helemaal aangepast, en wat doet hij nadat ze koud een maand begraven is?'

'Hij neemt het kliekje van de buurvrouw aan en eet het samen met haar op,' was de nuchtere conclusie van Jacqueline geweest. 'Kind, wees blij dat hij een beetje steun aan Lidy heeft. Mamma zou niet anders gewild hebben. Als pappa samen met Lidy eet, wil dat niet zeggen dat hij mamma al vergeten is. Van de week heb ik nog met hem gepraat. Hij huilde omdat hij mamma zo mist.'

'Had hij toen wel tijd voor jou?'

'Daar zit de pijn bij je. Je bent gewoon jaloers omdat hij zich bij mij wel heeft geuit.'

'Ik ben helemaal niet jaloers. Ik ben alleen teleurgesteld.'

'Omdat jouw mooie plannetje in het water viel en hij helemaal niet zo blij was met je lekkerbekjes als je had verwacht?'

'Ik heb je niet gevraagd me de les te lezen.'

'Jij belde mij om te vertellen wat er was gebeurd,' hielp Jacqueline haar herinneren.

'Als ik het van tevoren had geweten, had ik dat zeker niet gedaan,' had ze bitter opgemerkt.

'Bel pappa de volgende keer even voordat je wilt komen. Dan weet je zeker dat hij de tijd voor je neemt.'
'Denk je echt dat het dan beter gaat? Onze gesprekken blijven altijd oppervlakkig. Het is net alsof hij zich tegenover mij niet goed durft te uiten.'
'Als je doorvraagt, komt hij wel met zijn verhaal. Tegenover mij spreekt hij zich wel uit. Misschien heeft het ermee te maken dat onze band hechter is. Ik kom er veel vaker dan jij.'
Ze had het gesprek afgekapt, maar die laatste woorden hadden er goed in gehakt, hoewel Jacqueline had getracht haar woorden te verzachten. 'Ik bedoel het niet als kritiek. Het is logisch dat ik er vaker kom. Ik woon er in de buurt.'
Ze nam nog een slok, hoorde hoe Constantijn in de kamer de televisie uitschakelde en zijn vrienden uitliet. Even later stak hij zijn hoofd om de tuindeur. 'Ik ga naar bed.'
Ze knikte en wachtte totdat Menno thuiskwam. Langzaam maar zeker verstilden de zomerse geluiden. Een kievit schreeuwde door de schemer; ergens op het land reed een tractor. Haar oogleden werden zwaar. Ze stond op om haar vermoeidheid van zich af te schudden. In huis haalde ze een flesje water, dat ze gretig leegdronk. Ze drentelde over het erf, en zag hoe de zon afscheid nam. In een weiland staken koeien als donkere silhouetten af tegen de roze hemel. Een zoele wind waaide haar zomerrok tegen haar benen. Het duurde lang voordat Menno's auto eindelijk het erf op draaide. Ze zag hoe hij het portier opende, het colbert van de stoel naast hem graaide en met een hand de stropdas lostrok. Met zijn andere hand pakte hij zijn tas en hij kwam met grote stappen op haar af.
'Ik heb er vanavond hard voor moeten knokken, maar het lijkt vruchten af te werpen.' Hij kuste haar licht op de wang. 'Wat een heerlijk weer is het nog. Zat je buiten?'
'Wil je een glas vermout?'
'Doe maar een biertje. Dat vind ik lekkerder met dit weer.' Hij gooide zijn colbert op een tuinstoel en ging zelf in die ernaast zit-

ten. 'Je hebt hem aardig geraakt, zie ik,' merkte hij op met een schuine blik op de halfvolle fles.

'Dat valt wel mee.'

Uit de koelkast pakte ze een flesje bier, en liep naar de kamer om een glas te pakken. Door het raam zag ze dat hij telefoneerde. 'Slaap lekker,' hoorde ze hem zeggen toen ze buiten kwam. Hij glimlachte.

'Wie was dat?'

'Aimée. Ze was erg benieuwd hoe het vanavond zou aflopen.'

'Wat heeft zij daar nou mee te maken.'

'Gewoon ... belangstelling. Ze is een docente die affiniteit met de school heeft.'

Ze zag de glimlach weer voor zich toen hij 'Slaap lekker,' zei maar durfde er niets over te zeggen.

'Ik ben vanmiddag nog bij mijn vader geweest.'

'Oh ...' Hij bukte zich en graaide in zijn tas.

'Hij was in gezelschap van de buurvrouw. Die had ook bij hem gegeten.'

'Ach ja, zo gaat dat.' Hij haalde een stapel papier uit de tas en begon erin te bladeren.

'Ik vond het allemaal nogal snel gaan.'

'Ach, wat is snel?' Zijn vingers repten zich langs de papieren.

'Nou ja, mamma is net een maand overleden.'

'Misschien is je vader geen man die makkelijk alleen blijft.'

'Volgens Jacqueline moet ik er niet te veel achter zoeken, en vindt pappa alleen maar steun bij de buurvrouw.'

'Dan zou ik het ook maar zo zien.'

Hij had de benodigde papieren gevonden, stopte de rest weer in de tas en begon met interesse de tekst door te nemen. Zij schonk zichzelf nog eens in. Waarschijnlijk had iedereen gelijk.

10

SOMS MOEST ZE NOG WEL DENKEN AAN DE EERSTE DAG HIER OP
school. Onzeker was ze binnengestapt in een wereld die vreemd
voor haar was. Druipend had ze in de grote hal gestaan, niet wetend
wat te doen. Bouwe Verbaan had haar gered. Nu was het allemaal
vanzelfsprekend. De parkeerplaats waar ze haar auto neerzette, het
plein dat ze overstak om bij de ingang te komen. Gezichten hadden
namen gekregen. Bij die namen hoorden karakters, en de wetenschap of het om een leerling ging die goede cijfers haalde of niet. In
de lerarenkamer werden collega's bekenden, pakte ze een kop koffie voor zichzelf en soms voor anderen. Ze leefde mee met Bettine
toen ze een miskraam kreeg, met een mannelijke collega toen zijn
vrouw ernstig ziek was. Ze praatten over klassen, leerlingen en het
studiehuis. Als ze ergens mee zat, informeerde ze naar de meningen
van anderen. Tijdens de eerste vergadering die ze meemaakte, hield
ze zich nog wat op de achtergrond, maar de rector van de school
informeerde naar haar bevindingen. Ze vroeg zich af of Menno dat
ooit deed wanneer nieuwe docenten hun intrede op school hadden
gedaan. Ze vroeg hem er nooit naar.

Reinier werd ook vertrouwd. Na schooltijd stond hij vaak nog even
met haar te praten. Ze verdacht hem ervan speciaal op haar te
wachten. Zij nam boeken voor hem mee, dichtbundels en romans.
Hij verslond ze met een gretigheid die haar elke keer weer verraste. Verwonderd ontdekte ze dat hij steeds meer buitengesloten
werd in zijn klas, en dat hem dat kennelijk weinig tot niets interesseerde.

'Ik voel me veel ouder dan de rest van de klas,' had hij gezegd toen
ze hem ernaar vroeg. Met zijn doordringende heldere blauwe ogen
had hij haar aangekeken tot ze bloosde, en gegeneerd had ze haar
blik afgewend.

'Hoe kan dat dan? Je bent toch niet veel ouder,' had ze gevraagd om
zich een houding te geven.

'Misschien komt het door de dingen die ik in mijn leven heb meegemaakt,' had hij gezegd en zij had niet verder gevraagd, bang als ze was te veel te weten.

Ze moest eraan denken terwijl ze naar haar kleine auto liep. De zon scheen warm en zomers, en trok de temperaturen tot ver boven de twintig graden op. Juni was gul met warme dagen. Reinier stond niet naast haar auto, ontdekte ze, en ze vroeg zich af of ze opluchting of juist teleurstelling voelde. Ze groette een paar leerlingen die op het muurtje voor de school een sigaret zaten te roken.

Waarom had ze op dat moment niet verder gevraagd? Was ze bang te veel van hem te weten? Op school was al bekend dat zijn ouders zich niet veel aan hem gelegen lieten liggen. Zijn leerprestaties waren bovengemiddeld; op het rapportenspreekuur lieten zijn ouders zich uiteraard nooit zien. Ook bij andere gelegenheden bleken ze te schitteren door afwezigheid.

'In het eerste jaar hebben we voor de brugklassen altijd een toneelavond,' had collega Ton Waardenburg verteld. 'Elke brugklas voert een toneelstuk op dat ze zelf hebben geschreven. Natuurlijk is het ook de bedoeling dat de uitvoering helemaal door henzelf gebeurt. Meestal zijn de ouders heel enthousiast. Moeders naaien kostuums, vaders willen best meehelpen met decors als dat nodig is. Van Reiniers ouders hoorden we niets toen we een oproep plaatsten. Reinier zelf was laaiend enthousiast. Hij heeft voor zijn klas het stuk geschreven, en hij had geweldige ideeën voor het decor, die hij ook zelf heeft helpen uitvoeren. Kortom, hij had er heel veel energie in gestoken. Geweldig natuurlijk dat juist hun toneelstuk de eerste prijs in de wacht sleepte. Ik zei op een gegeven moment tegen Reinier dat zijn ouders wel heel trots in de zaal zouden zitten. Tot mijn verbazing vertelde hij onaangedaan dat ze er helemaal niet waren.' De jongen intrigeerde haar, merkte ze. Juist door verhalen als deze wilde ze meer van hem weten, en tegelijkertijd schrok ze ervoor terug.

Ze opende het portier, voelde hoe de warmte haar tegemoet sloeg. Terwijl de leerlingen aandachtig bleven toekijken, draaide ze het raampje open voordat ze achter het stuur plaatsnam. Haar tas en zomerjas belandden op de achterbank. Het gebloemde katoenen bloesje dat ze op haar felrode broek droeg, plakte aan haar rug. Vanuit haar opgestoken haren liep een straaltje zweet naar beneden. Ze startte de auto en reed langzaam het parkeerterrein af, de straten door die haar naar de snelweg brachten. Vlak voordat ze de snelweg op zou draaien, zag ze hem lopen. Ze herkende hem aan de feloranje rugtas, zijn wat gedrongen figuur, de manier waarop hij liep. Meteen zette ze haar voet op de rem en reed de berm in. Een auto achter haar claxonneerde. De bestuurder stak zijn middelvinger op toen hij passeerde. In haar achteruitkijkspiegel zag ze hoe Reinier rustig naderde. Ze boog zich over de passagiersstoel en draaide het raampje aan die kant open. Hij stak zijn hoofd naar binnen. 'Moet jij niet naar de bushalte?' informeerde ze.

Hij schudde zijn hoofd.

'Loop je hier voor je plezier of ben je op weg ergens heen? Wil je een stukje met me meerijden misschien, of moet je straks een heel andere kant op?'

'Ik heb eigenlijk geen idee waar ik naartoe zal gaan,' bekende hij. Zijn armen leunden op de binnenkant van de deur. Hij bezat niet de slungelachtigheid van zijn leeftijdgenoten, maar was stevig zonder dik te zijn.

'Je hebt geen idee waar je naartoe zult gaan?' Ze lachte. 'Is het misschien een optie om naar huis te gaan?'

'Soms heb ik geen zin om in een leeg huis te komen.' Weer was er die doordringende blik op haar gericht. De blik die tegelijk ongemakkelijk en prettig aanvoelde. Ze wist wat hij nu van haar verwachtte. 'Is er niemand thuis dan?'

'Er is nooit iemand thuis.'

Opnieuw werd er achter haar getoeterd. Haar auto stond te ver op de weg.

'Wil je misschien een poosje met mij mee naar huis? Je kunt dan op je gemak eens in mijn boekenkast rondneuzen.'

'Meen je dat?'

Zijn vraag kwam uit fatsoen voort. Hij kende het antwoord al. Zij kende zijn antwoord al, en toch gingen ze voort met hun toneelspel.

'Anders zou ik het niet vragen.'

'Vindt je man dat niet erg?'

'Waarom zou hij dat erg vinden? Je kunt een kopje thee bij ons drinken en dan neem je de bus. Vlak bij ons huis is een halte.'

'Dan graag.' Hij opende het portier. Ze wachtte totdat hij de gordel had vastgemaakt en reed de weg op. Wind speelde met de kleine krulletjes die zich hadden weten los te maken uit de speldjes waarmee ze haar haren tot een fatsoenlijk kapsel had trachten te transformeren. Ze draaide aan haar kant het raam iets omhoog en veegde de haren uit haar gezicht.

Het raam aan zijn kant bleef open. Met zijn arm steunde hij op de rand van het portier, ontspannen, alsof hij dagelijks naast haar zat.

'Hoe gaat het met je vader?' wilde hij weten.

'Best goed eigenlijk.' Ze aarzelde even. 'Hij heeft veel steun aan de buurvrouw. Ik heb het idee dat ze vaak samen eten en televisie kijken.' Het was haar nu meer dan eens overkomen dat haar vader niet alleen was. Lidy leek altijd te veel te koken. Samen met haar vader at ze de kliekjes. Het scheen vanzelfsprekend te zijn dat ze bleef wanneer haar vader bezoek kreeg. Als ze zelf al aanstalten maakte om naar huis te gaan, wilde haar vader daar niets van weten.

'Moeilijk zeker, zo snel na de dood van je moeder te zien hoe je vader met de buurvrouw aanpapt.'

'Nou ja ...' Ze wilde er niet te veel over zeggen. Reinier was een leerling van haar; dat moest ze vooral niet uit het oog verliezen. 'Ik zou het geen aanpappen willen noemen.'

'Hoe je het ook wilt noemen, ik kan merken dat je er moeite mee hebt.'

'Het is alsof mijn moeder al vergeten is,' bekende ze. 'Ik heb er inderdaad moeite mee, maar iedereen wil me doen geloven dat ik vooral blij moet zijn voor mijn vader. Volgens hen moet ik me vooral gelukkig prijzen dat hij niet achter de geraniums zit te treuren. Men meent dat ik dan wel anders gepiept zou hebben. Ik zou me dan immers genoodzaakt zien regelmatig bij hem aan te gaan.

Alsof ik dat niet met liefde voor hem gedaan zou hebben.'

Ze zei veel meer dan ze wilde. Hoe was het toch mogelijk dat ze hier met hem praatte alsof hij een goede vriend was. Ze moest goed voor ogen blijven houden dat zij de docent was, en hij de leerling. Het zou niet goed zijn te vertrouwelijk met hem te worden.

'Je zou je doorlopend zorgen over hem hebben gemaakt,' bedacht Reinier.

'Het gaat me nu meer om het idee dat hij mijn moeder al vergeten lijkt te zijn.'

'Dat geloof ik niet. Misschien zoek jij er te veel achter. Die buurvrouw is ook weduwe. Ze weet wat hij doormaakt. Het zou kunnen dat ze op die manier steun bij elkaar vinden.'

Voor haar remde plotseling een auto. In een reflex zette ook zij haar voet op de rem. 'Misschien hebt je gelijk,' zei ze en gaf weer gas toen de auto voor haar ook weer optrok. 'Waar remde die malloot nu voor?' mopperde ze. Ze verwachtte geen antwoord, en kreeg dat ook niet. Zwijgend reed ze verder. Vanuit haar ooghoek zag ze zijn ondoorgrondelijke gezicht. Zou ze ooit iets van deze jongen begrijpen?

'Ik wil niet nieuwsgierig lijken, maar werken jouw ouders allebei?' verbrak ze een poosje later de stilte.

'Mijn ouders zijn drukbezette mensen.'

Er stond iets van afweer op zijn gezicht te lezen. Ze hield haar mond, reed Emmeloord voorbij en minderde vaart om de afslag te nemen.

'Ik ben nog nooit in Emmeloord geweest,' bekende hij.

'We wonen niet echt in Emmeloord, maar op een buitenweg die onder Emmeloord valt. Ik vind het zelf een intrigerend gebied, omdat een jaar of zestig, zeventig geleden hier de zee nog stroomde.'

'Misschien komt het daardoor. Ik heb altijd het idee dat er niet veel te zien is. Emmeloord is nog een jonge gemeente, en dat is heel anders dan een mooie stad met een oud centrum.'

'Emmeloord is geen gemeente,' verbeterde ze hem. 'Het is de

hoofdplaats binnen de gemeente Noordoostpolder. Er zijn nog tien dorpen die onderdeel uitmaken van die gemeente.'

'Dat heb ik inderdaad nog op de basisschool geleerd. Ik snap alleen nog steeds niet wat een mens in die polder zoekt. Wat ik ervan weet is dat de polder recht en vlak is, en als ik om me heen kijk, wordt dat idee alleen maar bevestigd.'

'Je moet er oog voor hebben. Onderweg heb je toch wel gezien hoe mooi het is als de gewassen op het land staan? Als je eind april, begin mei door de polder rijdt, kun je genieten van de bollenvelden die hier steeds meer komen. Velden vol prachtig gekleurde tulpen zie je dan.'

'Volgens mij moet je hier al even wonen om enthousiast te raken over dit gebied.'

'In principe maakt het me niet uit waar ik woon. Overal neem je jezelf mee, en je moet er ook zelf iets van maken. Je moet je ogen openhouden om de schoonheid van het landschap te zien.'

Ze reed de weg in waar ze woonden. Er reed een tractor op het land. 'Ik woon hier in een prachtig stukje van Nederland,' zei ze. 'Vroeger was hier water, nu worden er gewassen verbouwd, wonen er mensen. Je ziet in het voorjaar hoe die gewassen worden gezaaid. Op de vette kleigrond komen eerst heel voorzichtig kleine plantjes op, die zich al snel tot volwassen planten ontwikkelen. Vervolgens maak je mee hoe er geoogst wordt, elk jaar weer.'

Ze reed de auto het erf op en parkeerde voor de garage. 'Welkom in de Noordoostpolder,' zei hij, terwijl hij zijn gordel losklikte.

Ze lachte en stapte uit de auto. 'Heb ik iets te veel gezegd?' Ze spreidde haar armen. 'Ruik de frisse lucht, kijk naar de ruimte om je heen, luister naar de vogels!' Op hetzelfde moment klonk een miauwend, klagend roepen.

'Is dat een roofvogel?' Hij stond heel stil.

'Een buizerd,' wist ze.

Ze tuurde het luchtruim af, maar zag niets. Wel hoorde ze Robby Williams door het geopende raam. Constantijn was vroeg thuis vandaag. Ineens leek het niet vanzelfsprekend meer dat ze Reinier had meegenomen. Wat ongemakkelijk liet ze hem voorgaan naar binnen. 'Wat een mooie tuin hebben jullie.' Hij liep door naar achteren. 'Vind je het goed dat ik even kijk?' Hij morrelde al aan de tuindeuren.

'Misschien kunnen we buiten gaan zitten. Het is prachtig weer. Ik zal de stoelkussens pakken.'

Door het raampje van de schuur zag ze hoe hij voorzichtig door de tuin liep, af en toe bleef staan en zich vooroverboog, alsof hij elke bloem wilde ruiken.

Achttien jaar was hij. Hoe kwam het toch dat hij zo heel anders was dan zijn leeftijdsgenoten? Ze legde de kussens in de stoelen. 'Je kunt zo gaan zitten. Ik ga even naar binnen om iets anders aan te trekken. Dit is te warm. Wat kan ik voor je inschenken?'

Hij haalde zijn schouders op. 'Doe maar iets.'

Ze liep naar binnen. De muziek van een bekende band klonk nu vanuit de kamer van Constantijn. Een rauwe mannenstem zong over liefde. Sinds wanneer hield hij van dergelijke muziek? Langzaam liep ze de trap op, hees zich in de slaapkamer in een zomerjurk en stak haar hoofd om de kamerdeur van haar zoon.

'Mag de muziek iets minder luid?'

'Ik had je niet thuis horen komen.' Hij draaide het volume lager.

'Ik heb bezoek meegebracht.'

'Gezellig.' Het leek hem niet echt te boeien.

'Een leerling van me die erg geïnteresseerd is in de Duitse literatuur.'

'Oh die.'

'Hoezo, ken je die?'

'Je hebt er al zo veel over verteld. Dat is toch die jongen die elke keer jouw boeken leent en vervolgens die boeken zo uit heeft?'

'Die is het,' beaamde ze en nam zich voor niet meer zo vaak over Reinier te praten.

'Kom je zo ook iets drinken beneden?' wilde ze van Constantijn weten.

'Ik moet leren.'

'Het is misschien wel even gezellig voor Reinier.'

'Zo'n intelligent joch lijkt me niets voor mij.'

Ze haalde haar schouders op en liep naar beneden, schonk een glas cola in voor Reinier en nam zelf een glas appelsap. In de kamer ontdekte ze hem bij de boekenkast.

'Ik ben zo vrij geweest.' Hij had er een boek uitgenomen.

'Ik zie het.' Ze zou niet willen dat Constantijn zoiets bij een ander deed. 'We kunnen straks samen wel even kijken wat je nog kunt lenen,' stelde ze voor. 'Kom nu eerst even mee naar buiten om wat te drinken.'

'Ik heb niet echt dorst.' Hij wierp een blik op het glas. 'Bovendien ben ik niet echt dol op cola.'

'Appelsap dan?'

'Dat lust ik wel.'

'Dan is de cola voor mij.' Ze wachtte even, maar hij maakte geen aanstalten om naar buiten te gaan. 'Ik zie je zo,' zei ze. Hij knikte.

Buiten was de lome warmte. Ze zette zich in een van de stoelen en probeerde zich te ontspannen, maar ze bleef zich vreemd bewust van zijn aanwezigheid. Door het geopende venster van Constantijns slaapkamer klonk nog steeds opgewekte muziek, maar duidelijk hoorde ze toch vanuit de kamer af en toe zijn voetstappen, het ritselen van bladzijden. Het was alsof al haar zintuigen op scherp stonden. Ze hief haar gezicht naar de zon en probeerde haar verwarring de baas te worden. Wat verbeeldde ze zich eigenlijk? Ze liet zich meeslepen, stelde zich belachelijk aan. Ze was zeventien toen hij geboren werd, een jaar jonger dan hij nu was. Hij was nog geen zes op de geboortedag van Constantijn. Ze moest overspannen zijn. De laatste weken waren druk geweest, misschien te druk, besefte ze nu. Het was goed dat de vakantie niet meer zo heel lang op zich zou laten wachten. Met snelle slokken dronk ze haar glas leeg, en hoorde ineens zijn stem achter zich:

'Das Glück ist eine leichte Dirne,

Und weilt nicht gern am selben Ort;

Sie streicht das Haar dir von der Stirne

Und küsst dich rasch und flattert fort.'
Ze hield haar adem in, hoorde hem verder gaan:
'Frau Unglück hat im Gegentheile
Dich liebefest an's Herz gedrückt;
Sie sagt, sie habe keine Eile,'
De laatste zin sprak ze met een glimlach met hem mee:
'Setzt sich zu dir an's Bett und strickt.'
'Heinrich Heine,' merkte ze op. Ze keek naar hem terwijl hij tegen-
over haar plaatsnam. Zijn armen staken gebruind af tegen het licht-
blauwe shirt dat hij droeg. Op zijn borst stond een rij palmbomen.
Hij veegde met zijn hand een lok lichtblond haar van zijn voor-
hoofd. Een bijna meisjesachtig gebaar.
'Heine bewonder ik zeer omdat hij in staat blijkt met zijn werk ook
in onze tijd nog aan te spreken,' vervolgde ze. 'Zijn werk blinkt uit
door spitsvondigheid, maar ook door ironie. Door het lezen van
zijn gedichten leer je de mens Heine kennen.'
Ze had zichzelf weer in de hand, en gooide het laatste beetje cola
tussen de bloemen in de tuin. 'Smerig spul,' zei ze, en ze stond op
om voor zichzelf iets anders in te schenken.
In de keuken haalde ze diep adem, zocht ijsblokjes in de diepvries
en gooide die in haar glas. Daarna schonk ze appelsap in. Ze liep
terug, zag dat hij lui in de stoel leunde. 'Hoe komt het dat jij in staat
bent zo'n gedicht binnen zo korte tijd uit je hoofd te leren?'
'Het waren niet meer dan acht regels. Bovendien spraken de woorden me aan. Dan heb ik niet de minste moeite met het onthouden
van een gedicht.'
'Heine was joods.' Soms verbeeldde ze zich dat de tijden van weleer
herleefden. Menno en zij, van elkaar lerend en elkaar inspirerend,
geïnteresseerd op elkaars vakgebied. 'Hij was een vat vol tegenstrij-
digheden, die zich enerzijds Duitser voelde, maar anderzijds
wereldburger wilde zijn. Zo worstelde hij ook met het jodendom
en de romantiek waartoe hij behoorde.'
Wanneer ze praatte, gebruikte ze haar handen; haar gezicht straalde
enthousiasme uit. Hij luisterde, zijn hand onder zijn kin steunend.

'Van hem is de beroemde uitspraak "Wo man Bücher verbrennt, verbrennt man am Ende auch Menschen", alsof hij in de negentiende eeuw al voorvoelde wat er honderd jaar later werkelijk voor verschrikkingen zouden plaatsvinden.'

Er kwam een auto het pad op. Ze wist dat het Menno was. Het bracht haar terug tot de werkelijkheid.

'Sorry, ik vind het zo heerlijk over dit soort dingen te praten,' verontschuldigde ze zich. Haar wangen waren rood. Ongemakkelijk voelde ze zich plotseling, alsof ze iets onbehoorlijks had gedaan.

'Ik vind het juist prettig,' merkte hij op. 'Ik krijg dan zelf ook het idee dat ik veel meer wil weten van deze dichter. Op deze manier gaan gedichten leven, zijn woorden minder statisch, want het is dan net alsof ik Heine zo een beetje heb leren kennen.'

Er klonken voetstappen in de kamer. Menno's gezicht verscheen in de deuropening. 'En wie hebben we daar?'

Zijn toon klonk joviaal, maar ze kende zijn gezicht zo goed. Elke uitdrukking was haar vertrouwd. In zijn ogen las ze ontstemming. Reinier zou daar niets van merken. Ze hoopte in ieder geval van harte dat de jongen niets zou merken. Bijna verontschuldigend stond ze op, en ze zag hoe Menno en Reinier elkaar de hand drukten.

'Jij neemt je werk wel heel letterlijk mee naar huis.' Menno kuste haar licht op de wang.

'Ik heb je al vaker verteld over Reinier,' zei ze . 'Hij is zo geïnteresseerd in de ...'

'... Duitse literatuur,' vulde Menno sarcastisch aan. 'Juist ja. Dit is dus de jongeman voor wie onze boekenkast steeds wordt geplunderd.'

'Meestal krijg ik de boeken heel snel terug.'

'Meestal neem je ook weer heel snel boeken voor Reinier mee naar school.' Menno lachte, maar zijn ogen weigerden zijn spel mee te spelen. Hij ging zitten. 'Waar is de jongen?'

Hij had vaker de neiging om Constantijn niet bij zijn naam te noemen, maar over hem te spreken alsof hij een vreemde was.

'Hij is met zijn huiswerk bezig,' zei ze vlug.

'Met deze muziek op de achtergrond? Voorgrond zou je nog beter kunnen zeggen. Het is onbegrijpelijk dat die jongen met deze rotherrie kan leren.'

'Ik leer ook altijd met muziek,' haastte Reinier zich het voor Constantijn op te nemen.

'Daar snap ik niets van. En als het nu nog iets klassieks zou zijn, iets van Mozart of zo, dat zou zijn leerprestaties nog ten goede komen. Ik begrijp werkelijk niet hoe het mogelijk is met dit waanzinnige lawaai nog iets in je op te nemen.'

'Het is geen house of zo,' merkte ze verontwaardigd op.

'Het kan me niet schelen wat het is, het is gewoon niet om aan te horen. Waarom wij worden gedwongen om ervan mee te genieten, snap ik niet. Haal je even een biertje voor me? Geef dan ook even een gil naar boven dat die muziek uit moet.'

Ze keek naar Reinier, maar zijn gezicht stond ondoorgrondelijk.'

'Kan ik voor jou nog een glas appelsap meenemen?' informeerde ze, maar hij schudde woordeloos zijn hoofd.

Ze liep naar binnen en wenste dat ze Reinier niet had meegenomen naar huis.

11

'IK BEGRIJP HET GEWOON NIET,' ZEI MENNO. DE NACHT WAS AL LANG en breed gevallen, maar de duisternis had nauwelijks verkoeling gebracht. 'Hoe haal je het toch in je hoofd die jongen mee naar huis te nemen?'

'Zijn ouders waren niet thuis,' verdedigde ze zich. Ze lag op haar rug, de dekbedhoes over zich heen getrokken, waaruit ze het dekbed had verwijderd. Boven hun hoofden draaiden de armen van de ventilator, en probeerde zo niet alleen de warmte maar ook de muggen op afstand te houden.

'Als we alle kinderen mee naar huis zouden nemen die uit school in een leeg huis komen, zouden we de kamer vol hebben.' Neerbuigend en sarcastisch treiterde zijn stem.

'Hij is mijn beste leerling.' Ze wist dat hem dat niet interesseerde. Op een of andere manier had de aanwezigheid van Reinier hem bovenmatig geërgerd.

'Ik wil gewoon dat je afstand houdt. Als er problemen zijn, moet je die zien op te lossen, maar dan wel op school.'

'Ik ben de enige niet bij wie de leerlingen wel eens thuis komen.'

'Dat is dan bij jullie op school een slechte zaak. Ik heb nog nooit een leerling thuis gehad, in al die jaren dat ik heb lesgegeven niet.'

'Wij zijn ook twee heel verschillende mensen.' Ze was moe. De discussie was meteen losgebarsten na het vertrek van Reinier, en tijdens de maaltijd was de spanning voelbaar geweest.

'Ook als verschillende mensen kun je één lijn trekken.'

'Jouw lijn.'

'Onze lijn.'

Ze zuchtte. 'Misschien is het goed als we nu gaan slapen.'

'Beloof me dan dat je nooit weer zoiets stoms uithaalt.'

'Ik kan het niet stom vinden.'

'Doe het gewoon nooit meer.'

'Ik beloof helemaal niets.' Ze zat ineens rechtop, en gooide de dekbedhoes van zich af. 'Ik ga een poosje naar beneden.'

'Wat moet je nou beneden?'

'Ik kan toch niet slapen.'

'Hoor eens, ik zeg dit voor je eigen bestwil. Je weet nooit wat zo'n jongen zich in het hoofd haalt.'

'Ik heb collega's nooit gehoord over leerlingen die zich iets in het hoofd haalden alleen omdat ze een keer bij hen thuis kwamen.'

'Ik heb het wel eens gehoord.'

'Ik ben een volwassen vrouw. Ik weet wel wat ik doe.'

'Dat hoop ik dan.'

Op zachte voeten liep ze naar beneden, bang Constantijn te wekken. Ze schonk zichzelf een glas water in en kroop in de rode stoel voor het raam. De maan was vol, verlichtte het terras, zette de appelbomen in een zilveren gloed. Hier was de nacht stil en vol vrede. Ze nam een slokje water en slikte het bedachtzaam door. Met de komst van Menno vanmiddag leek de aanwezigheid van Reinier plotseling minder vanzelfsprekend. Het was alsof met de komst van Menno de onschuld van haar uitnodiging aan Reiner was weggenomen. In zijn blik ontdekte ze een achterdocht die haar het bloed naar de wangen stuwde. Van zijn stem droop het cynisme af.

'Jongeman, ik moet je zeggen dat we hier in huis al heel wat over je hebben gehoord.'

Reinier had zich even geen houding weten te geven. 'Als het maar goede dingen waren dan,' had hij voorzichtig gezegd.

'Je schijnt een geweldige leerling te zijn.' Zij zag het spottende lachje om zijn mond. Reinier niet.

'Uw vrouw is ook een geweldige lerares,' had Reinier enthousiast gezegd.

'Oh ja?'

Twee woorden die een wereld van argwaan behelsden. Die de aanwezigheid van deze leerling plotseling in een ranzig daglicht stelden. Ranzig, een ander woord had ze er niet voor. Daardoor had ze de behoefte gevoeld zijn wantrouwen weg te nemen, maar elk woord dat ze zei, leek net het verkeerde te zijn. Wanhoop had bezit van haar genomen. Plotseling had ze gewild dat Reinier naar huis zou gaan. Vroeger dan normaal gingen ze eten. Menno hield zich vrijwel afzijdig van de gesprekken, ook al trachtte ze hem wanhopig erbij te betrekken. Gelukkig dat Constantijn er was, die van alles van Reinier wilde weten over de school waaraan zijn moeder lesgaf. Welwillend had Reinier geantwoord, en even was het door haar heen geschoten dat het zo mooi zou zijn geweest als deze jongens broers waren. Constantijn bracht Reinier later naar de bus, en vanaf dat moment was Menno gekomen met verwijten. Al haar goede bedoelingen waren plotseling in een heel ander daglicht komen te staan.

Ze zuchtte, dronk de laatste slokken uit haar glas. Het was goed dat ze naar beneden was gegaan. Menno wist van geen ophouden, en zij had geen woorden meer om zich te verdedigen. Straks zou ze naar boven gaan. Misschien zou hij dan eindelijk slapen. Zo ver kwam het niet. Het duurde niet lang voordat de slaap haar inhaalde.

Menno stond voor het raam en keek uit over het plein, dat nu bijna verlaten was. Er stonden nog een paar fietsen in de stalling, die was uitgerust met camerabeveiliging. Een leerlinge passeerde zijn kamer. Hij hoorde haar hakken klossen op het linoleum in de gang. Vanuit de hal klonken stemmen. Vrolijke stemmen, van mensen die nog een leven voor zich hadden en boordevol plannen zaten. Buiten trok de hemel dicht. In de verte hoorde hij gerommel, dat waarschijnlijk snel dichterbij zou komen. Hij sloot het raam, zodat hij dat niet meer kon vergeten wanneer hij wegging. Hij zou nu naar huis kunnen gaan. Hij draalde, ging opnieuw achter zijn bureau zitten en speelde gedachteloos met de papieren die er nog lagen. Beneden wist hij Aimée, die vandaag een lange dag had. Soms liep hij langs haar lokaal, deed net alsof hij toevallig in de buurt moest zijn. Heel even hield hij dan zijn gang in om een blik op haar te werpen, zoals ze voor het bord stond, of achter het bureau zat, of net door de klas liep. Dat beeld bleef hem de rest van de dag bij. Als hij verstandig was, ging hij nu naar huis. Hij pakte zijn papieren op en legde ze in de la, die hij afsloot. Hij nam zijn tas, zijn sleutels en ging opnieuw voor het raam staan. Over een kwartier zou ze klaar zijn. Het onweer naderde, de beuken aan de overkant, die de hele dag roerloos hadden doorgebracht, leken plotseling tot leven te komen. Wat zou Yvonne ervan zeggen als ze wist dat hij Aimée meer dan eens naar huis bracht? Hij moest om zijn eigen gedachten lachen. Meer dan waarschijnlijk leek het dat ze hem zou confronteren met zijn eigen woorden. 'Is het niet heel onverstandig zo met een docente van je school om te gaan?'

Hij zou meteen zijn weerwoord klaar hebben. Er zat een wereld van verschil tussen het naar huis brengen van een docente en het thuis te eten vragen van een leerling. Dat waren twee dingen die niet te vergelijken waren. Nou ja, die discussie zou waarschijnlijk nooit plaatsvinden, want hij vond het niet nodig haar op de hoogte te stellen van het feit dat hij Aimée soms naar huis bracht. Daar zat niets verkeerds achter, en dat kon hij van die jongen niet zeggen over wie ze gisteravond zo'n onenigheid hadden gehad. Yvonne weigerde toe te geven dat het niet handig was zo'n jongen mee naar huis te nemen. Het was net iets voor haar, op het laatst de discussie uit de weg te gaan door gewoon uit bed te stappen. Vanmorgen had hij haar verfomfaaid in de stoel voor het raam aangetroffen. Het was hem een raadsel hoe ze daar de hele nacht had kunnen slapen. Zijn vingers trommelden op de vensterbank tussen de drie decoratieve cactussen die Yvonne een tijdje terug voor hem had meegenomen. Als hij verstandig was, bleef hij hier niet langer staan. Aimée was heel goed in staat zelf naar huis te reizen, zelfs met dreigend onweer. Daar had ze hem niet voor nodig. Vanmorgen had hij zich dat voorgenomen, toen ze in de pauze even langs zijn kamer was gelopen. Heel kort was ze naar binnen gegaan toen ze had opgemerkt dat hij alleen was.

'Waarom draaien we zo om de hete brei heen?' had ze gevraagd. 'Jij en ik, we willen het allebei.'

'Ik ben getrouwd,' was het enige geweest wat hij had uitgebracht. Hij had gezien dat ze haar schouders had opgehaald.

'Soms verdient een mens een tweede kans.' Daarna was ze weer gegaan, maar haar woorden hadden hem de hele dag beziggehouden. Hij was ervan overtuigd dat hij gelijk had, dat hij de goede woorden had gezegd. Hij was toch getrouwd? Hij wilde toch zijn huwelijk niet op het spel zetten? Waarom was hij hier dan nog? Een felle lichtflits spleet de hemel, gevolgd door een knetterende donderslag. Hij haalde diep adem, pakte zijn tas en sleutels en verliet het gebouw.

Ze had zalm gekocht en nieuwe aardappels, die ze voorzichtig schoon schraapte. Op het aanrecht stond een schaal verse sla waarin ze verschillende soorten rauwkost had verwerkt, aangemaakt met een frisse dressing. Langs het raam gleden druppels, alsof de wereld rouwde om het afscheid van zonnige dagen. In huis heerste stilte. Constantijn was na schooltijd met een vriendje naar huis gegaan en zou pas na het eten terugkomen. Na de eerste donderslag die ze hoorde, had ze de radio het zwijgen opgelegd en vervolgens alle stekkers uit de stopcontacten getrokken die ze maar kon vinden. Veel sneller dan verwacht was het onweer genaderd. Regen kletterde op de fraaie tegels van het terras, spoelde in stromen naar de tuin. Donderslagen volgden elkaar steeds sneller en almaar luidruchtiger op. Haar handen hielden stil, toen een felle lichtflits direct gevolgd werd door een enorme klap. Ze voelde geen angst, alleen een intens verlangen naar een hand die de hare vasthield waardoor ze zich veilig waande. Hoe kwam het toch dat dit weer juist vandaag de herinnering aan die bergwandeling in Oostenrijk zo levend maakte? Jacqueline op de rug bij Rupert. Zij aan de hand van haar vader, die geruststellend naar haar glimlachte. Ze had zich op dat moment niet alleen veilig, maar vooral ook intens geliefd geweten. Haar handen schrapten verder, lieten een aardappel in de kleine emmer met water plonzen. Op haar horloge zag ze dat Menno niet lang meer op zich zou laten wachten. Ze gooide een laatste aardappel in de emmer, spoelde ze af en verhuisde ze naar een pan die ze op het fornuis zette. Daarna goot ze wat olijfolie in een bakpan, kruidde de zalm en liet die vervolgens in de pan zakken. De auto van Menno reed het erf op. Hij was mooi op tijd vandaag. Ze keerde de vis, hoorde zijn voetstappen op het pad achter. Even daarna waren ze al binnen en kwamen in haar richting. Zijn haren waren nat. 'Het plenst,' zei hij, alsof ze dat zelf niet in de gaten had. Op zijn lichte colbert zaten spetters. 'Wat eten we?'

'Kijk zelf maar. Als jij even op de zalm let, dek ik de tafel voor ons tweeën.'

'Waar is de jongen?'

'Wie?'

'Je weet best wie ik bedoel.'

'Constantijn eet bij een jongen uit zijn klas.'

'Heeft hij geen huiswerk?'

'Ik geloof dat hij samen met die jongen met een werkstuk voor school bezig is. De rest van zijn huiswerk zal hij wel klaar hebben. Over het algemeen heeft hij er weinig moeite mee. Volgend jaar zal dat wel anders worden.'

'Raar idee dat mijn zoon volgend jaar bij mij op school zit.'

'Je zult hem niet vaak zien waarschijnlijk.'

Ze liep naar de kamer om de tafel te dekken, bleef even voor het raam staan, waar de bui in heftigheid was afgenomen. De kippen hadden in hun hok beschutting gezocht maar de haan stond al in de deuropening alsof hij inspecteerde of de kust weer veilig was. Met een gevoel van spijt volgde haar blik de druppels langs de ramen. Ze had zich er vanmiddag nog zo op verheugd buiten te kunnen eten. Ze zette borden op tafel en legde er bestek bij. Uit het rek nam ze een fles droge, witte wijn, en schonk die in sierlijke wijnglazen nadat ze de fles ontkurkt had. Van een afstand bekeek ze het resultaat, maar rook vanuit de keuken ineens een alarmerende geur. 'Menno, denk je aan de vis?' schreeuwde ze terwijl ze terugliep. Ze kreeg geen antwoord. Hij leek haar niet eens in de gaten te hebben toen ze de keuken in kwam, waar hij voor het raam stond te kijken. 'Ik had je gevraagd op de zalm te letten,' mopperde ze. 'Is dat echt zo veel moeite?'

Het was alsof hij haar niet hoorde. 'Is er iets aan de hand?' wilde ze weten, en nu ineens schrok hij wel op. 'Wat zou er aan de hand moeten zijn?' Hij haalde zijn neus op. 'Het stinkt hier. Is er iets verbrand?'

'Je zou op de zalm letten, weet je nog?'

'Ik wist niet dat het zo snel zou gaan. Kan ik nog iets doen?'

'Laten we maar gaan eten.'

Ze peuterde de zwarte kant van de zalm, liep terug naar de kamer, haalde borden en liet daar de vis op glijden, legde op elk bord wat sla en een paar aardappelen, die ze met een lichte saus overgoot.

Nu stond hij voor het raam in de kamer.

'Is er iets?' informeerde ze bevreemd.

'Wat zou er moeten zijn?' Hij draaide zich om.

'Ik weet niet. Je bent zo afwezig. Is er op school iets aan de hand?'

'Gelukkig niet.' Hij glimlachte geruststellend, keek op zijn bord. 'Je hebt de schade nog aardig weten te beperken, zie ik.'

'Zo'n vis verdient een tweede kans.'

'Hoe kom je daar zo bij?'

'Waarbij?'

'Van die tweede kans.'

'Hoezo? Zo bijzonder was die opmerking toch niet? Het viel me gewoon in.'

Hij probeerde niets van zijn verwarring te laten merken. 'Soms verdient een mens een tweede kans.' Hij probeerde die woorden uit zijn hoofd te zetten en keek naar Yvonne. Alles aan haar was vertrouwd. De manier waarop ze naar hem keek, waarop ze lachte, waarop ze dingen zei en het eten klaarmaakte. Onopvallend was ze in zijn leven aanwezig, op een heel andere manier dan Aimée.

'Je zei het grappig,' merkte hij op.

'Wat?'

'Van die vis. Van die tweede kans.'

Ze kreeg een onbehaaglijk gevoel van de manier waarop hij naar haar keek, van de dingen die hij zei.

'Is er echt niets aan de hand?'

'Ik heb trek.' Opnieuw die glimlach, die haar gerust moest stellen.

'Schuif dan maar aan.'

Zoals gewoonlijk ging hij voor in gebed. Woorden van dank voor het eten dat voor hen stond, voor de afgelopen dag. Hij sprak ze al uit zolang ze getrouwd waren. Zij wist precies wat er ging komen. Voordat hij ze uitsprak, klonken ze al in haar hoofd.

Na zijn luide 'amen' viel er een stilte. Ze voelde zich ongemakkelijk. 'Sinds Constantijn zelfstandig is gaan eten, hebben we niet meer met z'n tweeën aan tafel gezeten,' merkte Menno op. Hij sneed zorgvuldig een stukje zalm af en kauwde dat bedachtzaam weg, maar zijn ogen ontweken de hare.

'Zo gaat dat.' Ze zocht zijn gezicht, bespeurde een onrust die ze van hem niet kende. Ineens stond hij overeind, liep naar de open kast en haalde daar de kaarsenstandaard met de donkerrode kaars uit. Ze zweeg en keek toe hoe hij naar de keuken liep, terugkwam met de gasaansteker en de kaars op tafel zette en aanstak.

'Ik miste kaarslicht,' verklaarde hij, en schoof weer aan tafel.

'Heb je een andere vrouw?' Het was een gedachte die in haar opkwam en zich spontaan uitte.

'Wat is dat nu voor onnozele opmerking? Ik heb het over kaarslicht, wil de romantiek hier aan tafel nog iets verhogen, en jij begint over een andere vrouw. Waarom zou ik een andere vrouw moeten hebben? Omdat ik een kaars voor je aansteek?'

'Je bent zo afwezig en onrustig. Heel anders dan anders.'

'Ik ben helemaal niet onrustig. Wat weet jij de sfeer toch altijd te bederven.' Hij blies de kaars uit. 'Is dat jouw revanche voor het feit dat ik je gisteren heb terechtgewezen toen je die jongen zo heel onverstandig mee naar huis nam? Moet ik je nu nog eens proberen te overtuigen van het feit dat je geen hulpverlener bent, maar een docent, dat je verschil moet maken tussen je functie binnen en buiten de schoolmuren?'

Hij stond op, ging voor het raam staan en bleef maar praten. 'Ik begrijp je goede bedoelingen wel, maar af en toe moet je je verstand voorrang geven op je gevoelens. Je moet jezelf steeds blijven afvragen ...'

Ze luisterde niet meer naar al zijn verstandige woorden. Op een of andere manier kon ze haar blik niet losmaken van zijn bord met daarop het eten dat nauwelijks was aangeroerd. Ze prikte in haar eigen zalm en voelde dat er iets in haar naar boven kwam. De zalm verzonk in mist.

'Wat doe je nou? Je zit toch niet te huilen?'

Ze kon niet antwoorden, schudde haar hoofd alsof niet duidelijk was dat de tranen haar over de wangen liepen.

'Waarom huil je nou? Toch niet om mij?'

Opnieuw schudde ze haar hoofd. Ze kon niet uitleggen waarom het voelde alsof ze verpletterd werd onder tonnen verdriet.

'Kom maar bij me.' Hij trok haar van de stoel, sloeg zijn armen om haar heen. 'Ik heb het niet zo bedoeld, maar ik wil je tegen jezelf beschermen. Je bent altijd zo impulsief, ziet alleen het goede in de mens. Daardoor kan het heel makkelijk verkeerd lopen. Ik moet toegeven dat ik onaangenaam verrast was toen ik die jongen ineens bij ons achter het huis zag zitten. Misschien kan hij Heine heel mooi declameren, misschien is hij inderdaad vaak alleen thuis, maar het blijft zaak afstand te houden.'

Hij kuste haar wangen, veegde haar tranen weg, bleef vegen, bleef kussen. Van haar wangen ging hij naar beneden. Ze voelde hoe hij haar hals kuste, hoe zijn handen haar rug streelden. Zijn ademhaling werd dieper. Ze wist niet of ze dit wilde, maar was niet in staat zich ertegen te verzetten. 'Zal ik de achterdeur maar op slot doen?' Zijn stem klonk schor. 'Blijft Constantijn nog even weg?'

Ze knikte, liep voor hem uit naar boven, voelde zijn hand om haar enkel, probeerde zich los te maken, maar hij wist haar bij haar middel te grijpen. 'Je ontkomt me niet,' zei hij en ze hoorde hoe hij lachte. Boven aan de trap kuste hij haar lang en hartstochtelijk, terwijl zijn handen onhandig aan de knoopjes van haar mouwloze bloesje friemelden. Ze liet hem begaan. Ze wist niet dat hij in gedachten een ander gezicht voor zich zag, zich verbeeldde dat het lichaam dat hij voelde, van een ander was. Hij schoof haar bloesje met driftige gebaren langs haar armen omlaag, friemelde verder

aan de sluiting van haar bh en bleef met zijn lippen de hare vasthouden. Hij drong haar in de richting van hun bed, drukte haar
voorzichtig achterover, keek op haar neer. Haar rossige haren lagen
warrig om haar blanke gezicht met de talloze zomersproeten, hij
kende elk detail van dat gezicht, van haar lichaam.
'Wat kijk je nou?' zei ze gegeneerd.
'Je bent nog altijd mooi.' Het was of hij ontwaakte uit een droom,
alsof zijn hartstocht hem plotseling verliet. Doodmoe voelde hij
zich toen hij zich naast haar op bed liet zakken.

12

'DIT SCHILDERIJ HEB IK GEMAAKT TOEN MAMMA PAS OVERLEDEN WAS,' zei Jacqueline. Ze stond op blote voeten voor haar werkstuk. Haar smalle lichaam was gehuld in een witte, soepele jurk, die haar gebruinde enkels met het fijne gouden kettinkje vrijliet. Daaronder droeg ze elegante witte leren sandalen met een halfhoog hakje.

'Het lijkt wel een doolhof.' Yvonne hield haar hoofd een beetje schuin alsof ze het zo beter kon zien.

'Zo voelde ik me op dat moment. Het was alsof ik gevangenzat in een labyrint van gevoelens waarmee ik geen raad wist.'

'Daar heb je in die tijd anders niets van laten merken.'

'Was jij daarin geïnteresseerd? Je was toch veel te druk met je eigen teleurstelling over het feit dat pappa zo goed met Lidy overweg kon.'

'Ik had het gevoel dat hij mamma al was vergeten, en haar overlijden was toen net een maand geleden.'

'We zijn nu weer twee maanden verder. Heb je nog steeds het idee dat hij mamma vergeten is?'

'Lidy komt er nog vaak.'

'Als ze niet zou komen, zou hij het huis niet meer uit komen. Lidy is zelf weduwe. Die weet heel goed wat er op je afkomt als je zonder partner verder moet. Weet jij daar ook iets van?'

'Waarom lees jij me altijd de les?' Ze had al weer spijt van de opwelling bij haar zus aan te wippen.

Jacqueline haalde haar schouders op. 'Waarom zie jij alles zo negatief?' Er viel een stilte. 'Nou ja, laten we er maar over ophouden. Ik heb wel zin in een glaasje rosé. Zullen we buiten gaan zitten?'

'Ik moet nog rijden.'

'Je krijgt maar één glaasje.'

Jacqueline sloeg haar op de schouder. 'Trek het je toch niet allemaal zo aan, zusje. Buiten schijnt de zon. We gaan daar nog lekker van genieten. In dit kikkerland kan het weer maar zo omslaan. Wanneer gaan jullie op vakantie?'

Ze liep al voor Yvonne uit, haalde een fles rosé uit de koeling en een paar glazen uit de kast.

'Over twee dagen vertrekken we.'

'Waarheen?'

Ze had het Jacqueline al vaker verteld, maar meestal drong dat soort informatie niet werkelijk tot haar jongere zus door.

'Frankrijk,' zei ze nog maar eens. 'We hebben daar een prachtig huis met zwembad gehuurd.'

'Frankrijk? Jullie zijn toch fervente Italiëgangers?'

'We hebben onze laatste vakanties inderdaad in Italië doorgebracht, maar Menno kwam dit jaar met het idee eens naar Frankrijk te gaan.'

'Wij gaan weer in het najaar.' Jacqueline ging zitten. 'Wij hoeven gelukkig niet in het hoogseizoen. We hebben besloten door Scandinavië te gaan trekken.'

Ze schonk de wijn in de glazen, en hief haar glas in de richting van Yvonne. 'Santé, zusje, dat het nog maar een mooie nazomer mag worden.'

Opnieuw viel er een stilte. Jacqueline speelde met de voet van haar glas. 'En toch mis ik mamma nog elke dag,' bekende ze ineens zachtjes. 'Bijna dagelijks wipte ik even bij pappa en mamma aan. Meestal dronk ik een kopje koffie, soms bleef ik wat langer, als ik het niet zo heel druk had. Mamma was erg geïnteresseerd in mijn werk. Haar advies was voor mij heel waardevol. Zij kon hier zo het atelier binnenlopen en dan bleef ze met haar hoofd schuin staan, net zoals jij net deed. Even later priemde haar vinger in de richting van het schilderij waar ik mee bezig was en dan zei ze, 'Ik hoop niet dat je het erg vindt, maar ...' en vervolgens legde ze dan uit wat er, volgens haar, beter kon. Ik heb haar heel vaak gezegd dat ze zich niet hoefde te verontschuldigen als ze iets aan te merken had, omdat ik opbouwende kritiek erg waardeerde. Toch begon ze er elke keer weer mee, en uiteindelijk heb ik het maar zo gelaten. Ze was altijd bang anderen te kwetsen.'

'Ja, dat was ze,' beaamde Yvonne om maar iets te zeggen. Vreemd pijn deed haar dit verhaal van haar zus. Van de vertrouwelijkheid die er schijnbaar tussen haar moeder en Jacqueline had bestaan, kon zij alleen maar dromen. 'Jouw moeder heeft alleen verstand van het huishouden,' had Menno eens gezegd. 'Daarbuiten lijkt er niets anders te bestaan.' Zo had het ook altijd geleken wanneer haar ouders een keer bij hen kwamen. Op die momenten was het geweest alsof ze allemaal naar woorden moesten zoeken. Gesprekken verliepen stroef; met Menno in de buurt was er nooit sprake van vertrouwelijkheid. Af en toe ging ze alleen naar haar ouders. Daar was het zoals vroeger, al leek haar moeder nooit werkelijk geïnteresseerd in de dingen die zij deed.

'Jij lijkt op mamma,' hoorde ze Jacqueline nu zeggen. 'Elke keer wanneer ik je zie, valt me dat weer op. Zoals je net met je hoofd schuin naar dat schilderij stond te kijken, was het alsof ik mamma zag. Dat vervulde me met zo'n enorm heimwee, omdat ik weet dat ze hier nooit meer zo zal binnenlopen. Dat is bijna onverdraaglijk.'

Ze wist niet wat ze moest zeggen, dronk een slok van haar rosé.

'Pappa zegt het ook altijd,' vervolgde Jacqueline. 'Als ik Yvonne zie, is het net alsof mamma komt binnenlopen.'

'Niemand heeft daar iets aan,' zei ze.

'Mamma was altijd bang anderen te kwetsen, net als jij.' Het was alsof haar opmerking niet tot Jacqueline doordrong. 'Misschien begreep mamma daarom ook wel zo goed hoe moeilijk het voor jou moest zijn tussen je man en je familie te moeten balanceren. Je wilde iedereen te vriend houden, en in sommige situaties is dat onmogelijk. Als pappa en ik hard oordeelden, nam mamma het meteen voor je op.'

Ineens wilde ze weg van hier, van alle woorden waarmee Jacqueline schuld op haar hoofd leek te stapelen. Schielijk dronk ze haar glas leeg. 'Ik moet gauw naar huis.'

'Nu al?'

'Voor de vakantie moet nog het een en ander geregeld worden.'

'Je bent hier nog maar zo kort. Ik dacht dat je nog wel even zou blijven.'

Ze voelde zich een beetje licht in het hoofd. 'Een andere keer blijf ik wat langer,' beloofde ze. 'Misschien wil je samen met Floris eens een avond bij ons komen?'

Jacqueline snoof. 'Je weet wel hoe goed Floris en Menno met elkaar overweg kunnen.'

'Het zijn volwassen mensen. Ze zullen zich toch wel een beetje kunnen inhouden.'

'Maar echt gezellig wordt het desondanks niet. Je doet daar niemand een plezier mee. Laat het zoals het is. Ik vind het prettig als je hier komt. Floris net zo goed. Verwacht niet van ons dat wij naar jullie komen. Dat levert alleen verliezers op. Soms kunnen mensen met elkaar overweg, soms niet. Zo zit het leven in elkaar.'

'Je moet het zelf weten.' Ze zei maar wat, terwijl ze haar tas pakte en Jacqueline op haar beide wangen kuste. 'Het was fijn even bij je te zijn.'

'Kom gauw eens weer.'

'Dat doe ik vast.' Ze wist zeker dat ze het niet zo snel zou doen, en ze was ervan overtuigd dat Jacqueline dat ook wist, maar allebei speelden ze hun spel van hartelijkheid. Haar zus zwaaide zelfs nog toen ze in de auto zat. Zij bleef glimlachen totdat ze de hoek van de straat om reed. Daarna werd het stil in haar. Een stilte die ze probeerde op te vullen met de radio, maar de populaire muziek irriteerde haar, de opgewekte presentator nog meer. Ze probeerde een klassieke zender, maar vond ook daar niets wat haar leegte opvulde. Haar handen balden zich om het stuur; de wind die door het geopende raam haar gezicht streelde, had niets troostends.

'Hé!'

Ze zag een arm die naar haar zwaaide, een figuur die ze meteen herkende. Achter haar werd getoeterd toen ze plotseling op de rem stond en naar de trottoirrand laveerde.

'Dankzij jou krijg ik nog eens een ongeluk.' Ze lachte. 'Nog niet op vakantie?'

Zijn gezicht was gebruind. Daardoor leken zijn ogen nog blauwer.

'Volgende week.' Hij trok een grimas. 'Drie weken met pa en ma naar Zwitserland.'

Ze wilde weten waarom hij niet met leeftijdgenoten ging, maar hield haar vraag in. Het was haar immers wel duidelijk waarom hij niet met leeftijdgenoten omging. Vlak voor de vakantie had ze opnieuw gezien hoe ze op het plein voor de school zijn boekentas hadden leeggegooid. 'Daar moeten we iets aan doen,' had ze tegen collega's gezegd, maar die hadden hun schouders opgehaald. 'Daar zal hij dan zelf over moeten komen klagen.'

Natuurlijk had ze er bij Reinier op gehamerd dat hij dat zou doen, maar hij had zijn schouders opgehaald. 'Het zou er alleen nog maar erger van worden. Meestal gaat het goed. Vandaag had ik de pech dat ik op het verkeerde moment langskwam. Maak je over mij maar niet bezorgd. Het interesseert me heel weinig wat ze doen, en bovendien hoef ik het nog maar een jaar te verdragen. Daar moet door te komen zijn.'

'Waarom doen ze het dan?' had ze willen weten.

'Er zijn honderden redenen waarom mensen zoiets uithalen,' had hij geantwoord, en daarmee was het onderwerp, wat hem betrof, afgesloten.

'Had je geen zin om naar het zwembad te gaan?' informeerde ze nu, en ze vroeg zich af waarom ze hem van die stompzinnige vragen stelde. Hij liet niet merken wat hij ervan vond. 'Ik houd niet van zwembaden,' antwoordde hij kort. 'Te veel mensen op te weinig grond. Ik krijg het er benauwd van.' Hij lachte. 'Wat deed jij vandaag hier? Naar je vader geweest?'

Ze schudde haar hoofd, en probeerde het gevoel van leegte te negeren dat opnieuw de kop opstak. 'Ik was even bij mijn zus,' zei ze.

'Ga je nu naar huis?' wilde hij weten.

Ze wist eigenlijk niet waarnaar ze op weg was geweest. Ze besefte nu dat ze nog niet naar huis wilde. Thuis zou Menno zijn, die in zijn lichte overhemd met kaki driekwart broek al helemaal in vakantiestemming was. Hij zou van haar willen weten waar ze geweest was en waarom ze zo lang bij haar vader was gebleven. Dat had ze hem wijsgemaakt, en dat was ze ook van plan geweest, maar onderweg had ze zich voorgesteld dat Lidy daar ook zou zijn. Het was tot haar doorgedrongen dat na de dood van haar moeder het vertrouwde huis niet langer haar ouderlijk huis leek, dat ze zich er steeds meer ontheemd voelde. Die gedachte had haar plotseling zo tegengestaan dat ze naar Jacqueline was gevlucht, maar daar was het niet beter geweest. Nu, op weg naar Menno, had datzelfde gevoel haar bevangen. Was ze ooit nog ergens thuis?

Ze keek in die heldere blauwe ogen. 'Ik wil nog een eindje om, misschien ergens een eind wandelen en een ijsje eten. Voel je er iets voor om mee te gaan?'

'Ik liep toch een beetje te balen.' Hij had het portier al geopend. 'Het komt goed uit dat ik je toevallig tegenkwam.'

'Dat je in een stad als Zwolle elkaar toch op het juiste moment weet tegen te komen.' Ze glimlachte. 'Volgens mij moeten dingen gaan zoals ze gaan.'

Hij nestelde zich naast haar, drukte de veiligheidsriem aan. 'Geloof jij ook niet in toeval?'

Ze gaf gas en reed de weg weer op. Zolang hij naast haar zat, zou ze de leegte op afstand weten te houden. Ze zouden samen praten over de dingen die hen bezighielden, van de ander wetend dat hun woorden niet verder dan deze auto zouden komen. Diep wederzijds respect en vertrouwen heersten er tussen hen, een lerares en haar leerling. Meer was er niet. Dat kon toch niet verkeerd zijn. 'Nee, ik geloof niet in toeval ...' begon ze, wetend dat ze vanuit dit onderwerp van het ene in het andere zouden rollen. Daarom had ze hem de afgelopen weken zo gemist.

Twee uur later kwam ze thuis, moe van het slenteren rondom een recreatieplas waar minstens zo veel mensen op te weinig grond lagen als in een zwembad, maar zo samen hadden ze daar weinig last van. Ze had Reinier getrakteerd op heerlijk Italiaans ijs; daarna had ze hem bij een bushalte afgezet. Onderweg naar huis had ze zich gelukkig gevoeld. Ze had zich voorbereid op een rede van

Menno over afspraken waaraan ze zich diende te houden en ze had er in zichzelf om moeten lachen. Wat hij ook zou zeggen, het interesseerde haar niet meer. Het was geen toeval dat ze Reinier daar zo plotseling had zien staan. Ze had zich alleen en vertwijfeld gevoeld. Nu was ze ervan overtuigd dat Reinier daar had moeten staan, zodat ze zich nu tweehonderd procent gelukkiger zou voelen. God had op zijn eigen manier voor haar gezorgd, en daardoor voelde ze dat ze haar leven weer in een vaste greep hield.

Menno was zijn auto aan het wassen. Ze hoorde hem fluiten toen ze haar auto op het erf parkeerde. Ze had een heel scala aan antwoorden klaar op de verwijten die zouden komen.

'Zo, jij bent nogal even onderweg geweest,' begroette hij haar, en ze zette zich schrap. 'Heb je het naar je zin gehad?' was het enige wat hij vroeg.

'Ja, prima. Het was gezellig.' Hier had ze niet op gerekend.

'Heb je die jongen nog gezien?' Hij spoot de auto af.

'Constantijn?'

'Nee, natuurlijk niet. Die jongen die hier ook al eens is geweest, die halve Duitser over wie wij toen nog zo'n ruzie maakten.'

'Reinier de Rooi?'

'Juist, die.'

Een warme gloed kroop vanuit haar hals omhoog, een heet schuldgevoel alsof ze iets gedaan had wat verboden was.

'Zou die mij moeten bellen? Hij heeft het nummer van mijn mobiele telefoon niet eens.' Ze probeerde het nonchalant te zeggen, en Menno ging onverstoorbaar door met autowassen.

'Je was nog niet zo lang weg toen hij hiernaartoe belde. Hij had iets over een boek of zo dat hij van je geleend had en dat hij voor de vakantie had vergeten aan je terug te geven.'

'Heb jij hem toen mijn telefoonnummer gegeven?'

Menno haalde zijn schouders op. 'Welnee, ik heb hem gezegd dat je bij je vader was. Hij wilde je dat boek daar brengen. Ik had de indruk dat het nogal belangrijk voor hem was, en daarom heb ik het adres doorgegeven. Ik ga ervan uit dat ik die jongen kan vertrouwen. Je hebt hem toch ook al eens mee naar huis genomen. Even daarna belde hij opnieuw om te zeggen dat hij bij je vader geen gehoor kreeg. Ik heb hem toen geadviseerd even bij je zus aan te gaan en haar adres gegeven. Vreemd dat hij daar niets mee heeft gedaan. Nou ja, hij zal er wel een reden voor hebben gehad.'

Hij liep naar de kraan.

'Dus toch geen wonder,' mompelde ze.

'Wat zei je?'

Ze leek het niet te horen. Hij zag hoe ze bij hem vandaan liep in de richting van de tuindeuren. Hij draaide de kraan dicht.

13

Ze stond aan de rand van het zwembad en keek naar Constantijn, die een handstand onder water probeerde te maken. Proestend kwam hij weer boven. 'Mam, kom je er ook in?' Ze schudde haar hoofd. 'Ik ga eerst ontbijten. Tijdens het ontbijt kunnen we de plannen voor vandaag bespreken. Mochten we thuisblijven, dan duik ik er na die tijd in.'

'Als we thuisblijven, ga ik de zee in,' meldde Constantijn.

'Wat je maar wilt, hier is alles mogelijk,' zei ze.

'Het is hier gaaf, hè?'

'Het lijkt hier wel een paradijs,' beaamde ze. 'We hebben er een eind voor moeten rijden, maar het is alleszins de moeite waard.' Constantijn hees zich uit het zwembad en bleef naast haar staan. Samen bewonderden ze voor de zoveelste maal het unieke uitzicht over de jachthaven. Het was een schilderij dat nooit verveelde. De blauwe lucht erboven beloofde opnieuw een stralende dag. Port en Bessin, waar ze waren neergestreken, lag op korte afstand van de D-day-stranden. Waar in die tijd jonge mannen de strijd met hun leven moesten bekopen, doken nu toeristen in de geschiedenis en keerden diep onder de indruk terug in hun vakantiehuizen, tenten of caravans. Het departement Calvados, waar het plaatsje onder viel, was ook verder alleszins de moeite waard, met historische steden, sfeervolle dorpjes, schitterende kastelen en abdijen. Elke dag waren ze erop uitgetrokken, bij terugkomst hadden ze een duik genomen in het zwembad of de zee. Hun onderkomen was riant, voorzien van alle luxe die een mens zich maar kon bedenken. De afgelopen dagen had ze met volle teugen genoten, en waren de neerslachtige gevoelens van de laatste tijd helemaal naar de achtergrond gedrongen.

'Kom jongen, pappa zit al op ons te wachten.'

Constantijn droogde zich af, trok snel een shirt aan en liep met haar mee naar de ontbijttafel vlak achter het huis met het fraaie rieten dak. Menno kwam net naar buiten met twee thermoskannen.

'Koffie en thee!' Hij hield ze boven zijn hoofd. 'Kan ik jullie iets inschenken?'

Hij wist precies wat ze wilde, goot thee in haar kopje, en glimlachte toen hij er iets naast morste. Hij droeg een lichtblauw overhemd dat bij de hals losstond en zijn gebruinde huid goed liet uitkomen. Op tafel stonden verse broodjes, kaas, verschillende vleeswaren en een kan met sinaasappelsap. Constantijn legde de handdoek op zijn stoel voordat hij ging zitten.

Menno keek naar haar. Ze was zich sterk bewust van haar figuur in de aansluitende, lichtgroene jurk die ze droeg. 'Wat zie je er mooi uit.' Hij zette de kannen op tafel.

'Het is maar een vakantiejurkje.'

'Het staat je goed.' Hij glimlachte toen hij ging zitten, en ging voor in een veel uitbundiger dankgebed dan thuis. Ook Menno leek hier gelukkiger.

'Misschien moeten we hier maar blijven wonen,' opperde ze even later, terwijl ze een broodje dik met boter besmeerde.

'Altijd op vakantie?'

'Dat is natuurlijk niet mogelijk. We zouden hier moeten proberen een nieuw leven op te bouwen.'

'Als die Fransen geen Frans zouden praten, dan wilde ik best,' mengde Constantijn zich erin.

'Het komende jaar leer je Frans,' zei ze hem.

'Iedereen zegt dat het moeilijk is.'

'De meeste mensen beweren ook dat Duits een lastige taal is, en buitenlanders vinden het leren van Nederlands een lastige klus. Als je in deze omgeving zou wonen, kon je niet anders dan in het Frans praten om je verstaanbaar te maken. Ik denk dat je de taal dan snel genoeg onder de knie zou hebben.'

Constantijn had dezelfde lichte huid als zij; ook zijn gezicht was bezaaid met sproeten. Zijn rossige haar was lichter geworden; het was alsof ze nu al iets van de man in hem kon zien die hij later worden zou.

Ze had deze vakantie zo graag een vriend voor hem meegenomen, zodat hij een leeftijdgenoot had waarmee hij dingen kon ondernemen. Menno had er niet van willen horen. 'Ik wil rust in mijn vakantie, en niet de zorg voor het kind van een ander. Die verantwoordelijkheid draag ik al een groot deel van de dag op school. Mijn vakantie is bedoeld voor ontspanning.'

Zo waren ze met z'n drieën gegaan, en Constantijn leek er niet onder te lijden. Ze keek toe hoe hij gretig in een broodje hapte, sinaasappelsap in zijn glas goot. Hij was een waterkind. Als hij niet in het zwembad te vinden was, was hij wel onderweg naar zee. Meestal ging zij dan mee. Ze had niet graag dat hij dat alleen deed. Elke zee kende zo zijn eigen geheimen.

Ze dronk met kleine slokjes van haar thee. 'Heb je nog zin om vandaag weg te gaan, en zo ja, waar wil je heen?'

Elke morgen van deze eerste week van hun vakantie had hij plannen gehad. Hij had de route al uitgezocht, en meestal waren ze meteen na het ontbijt in de auto gestapt. Nu vouwde hij zijn handen achter zijn hoofd ineen, strekte zich lui en gaapte ongegeneerd. 'Ik geloof dat ik vandaag thuis wil blijven. Ik verheug me op een dagje niets doen. Misschien wat lezen of een puzzel invullen, maar verder niet.'

'Ga je straks met ons mee naar het strand, pap?'

'Ach nee, jongen. Als ik wil zwemmen, doe ik dat wel in het zwembad. Gaan jullie gerust je gang. Ik blijf hier lekker zitten.'

'Je kunt je boek meenemen,' hield Constantijn aan.

'Dan komt er zand en water tussen, en ik houd er ook niet van tussen al die zonnebadende mensen te liggen.'

Yvonne smeerde een knapperig broodje. Zij verheugde zich erop straks languit op het strand te liggen met een mooi boek, de zon op haar rug te voelen en helemaal niets te hoeven.

Niet lang na het ontbijt liep ze met Constantijn, handdoeken en een paar flessen water naar beneden. Het was nog vroeg; het strandje lag nog niet bezaaid met gekleurde handdoeken. Ze sleepte met haar voeten door het vochtige zand, bekeek af en toe het spoor dat ze achterliet, hield in toen Constantijn stopte. 'Zullen we hier gaan liggen?'

'Mij best.' Toen ze naar boven keek, zag ze het huis tegen de heuvel aan liggen. Het rieten dak stak fraai af tegen de wolkeloze blauwe hemel. Ze bakende haar territorium af met handdoeken, groef de flessen water voor de helft in en keek naar Constantijn, die met grote stappen in de richting van het water rende. Langzaam volgde ze hem, zag hoe hij zich liet vallen en weer overeind kwam.

'Koud,' griezelde ze, terwijl haar tenen in aanraking kwamen met het zeewater. Hij lachte haar uit.

'Helemaal niet koud. Je moet het in één keer doen.'

Het was elke dag hetzelfde liedje, een spel dat ze samen speelden en dat nooit verveelde. Ze liep een eindje verder, terwijl hij in de golven dook als een jonge hond. Met haar handen schepte ze water, dat ze voorzichtig over haar bovenarmen liet lopen en toen uitsmeerde om zo aan de temperatuur te wennen.

'Schiet nou op!' hoorde ze hem roepen. Zijn lach klonk over het water.

'Vooruit dan,' zei ze en stortte zich in de kilte, voelde zich omsloten door het zilte vocht, zwom in zijn richting en voelde hoe haar lichaam langzaam aan de temperatuur wende. Even verderop draaide ze op haar rug en liet zich drijven. Een vliegtuig liet een wit spoor na in het doordringende blauw van de hemel. Ze spreidde haar armen en benen, wiegde op de golven en voelde zich totaal ontspannen. Dit moment was het mooiste van de dag. Langzaam ontwaakte de morgen; de zee behoorde haar toe.

'Hé, leef je nog?'

Proestend kwam ze overeind toen Constantijn naast haar neer plonsde. Zijn lach klonk luid over het water terwijl hij bij haar vandaan zwom. Zij volgde, maar wist hem niet in te halen. Met langzame slagen zwom ze terug naar het strand, voelde de warmte van de zon op haar huid en voelde zich gelukkig.

Het boek lag onder haar hoofd, haar natte haren hadden sporen op het papier getrokken toen ze ingedommeld was. Ze schrok wakker van Constantijn, die haar riep, veegde de verfrommelde bladzijde glad en sloot het boek.

'Pappa komt eraan.'

Ze behoorde nog niet werkelijk tot de wereld, keek in de richting die zijn vinger aanwees.

'Hij heeft iemand bij zich,' hoorde ze Contantijn zeggen.

Nu was haar interesse gewekt. Ze hees zich overeind en keek nog eens. Menno zwaaide en lachte. Naast hem liep Aimée.

Het fraaie badpak dat zijzelf droeg, verhulde plotseling haar logheid niet meer nu naast haar man een jonge, slanke vrouw liep. Een meisje bijna, in haar korte jeansbroek met daarop een roze topje. Er kwamen zo veel gedachten in haar op die ze met een glimlach het zwijgen trachtte op te leggen. Bijna stijf ging ze staan. 'Wat een verrassing,' zei ze, maar haar mond voelde net zo onwillig aan als haar ledematen, en hartelijke woorden lieten het afweten. Haar gezicht, vol vragen, draaide zich in de richting van Menno.

'Dat is zeker een verrassing.' Hij praatte te opgewekt, te snel. 'Ze stond zo ineens bij ons huis. Ik geloofde in eerste instantie mijn ogen niet.'

'Gelukkig dat we net vandaag besloten hadden thuis te blijven.' Haar cynisme leek Aimée te ontgaan.

'Als jullie er niet waren geweest, was ik zeker een andere keer teruggekomen,' merkte ze luchtig op. 'Jongens, wat hebben we een prachtig weertje. Hebben jullie al gezwommen?' Ze wendde zich tot Constantijn. 'Ik heb al zo veel over je gehoord. Ik vind het leuk je nu eens in levenden lijve te ontmoeten.'

Haar hand rustte even op zijn schouder. 'Ik hoorde van je vader dat je na de vakantie bij ons op school komt. Misschien krijg ik je dan wel in de klas. In ieder geval zullen we elkaar dan wel eens vaker zien.'

'Leuk,' zei Constantijn, maar het klonk gereserveerd.

'Wie durft het aan nog eens met mij het water in te gaan? Menno, jij moet wel, want jij bent nog niet geweest. Tijn, ga je ook nog een keer mee?'

"Tijn", noemde ze hem. Menno had er een hekel aan als de naam van Constantijn afgekort werd. Nu lachte hij. 'Ik wed dat ik er eerder in lig dan jullie.'

Ze ving de blik van haar zoon op en knikte hem toe. Ietwat aarzelend liep hij in de richting van de waterlijn met zijn onhandige jongenslijf.

'Yvonne, ga jij ook mee?'

Ze had verwacht dat hij het niet zou vragen. Op de een of andere manier kreeg ze het gevoel dat hij haar niet werkelijk zag staan, voelde ze zichzelf onzichtbaar.

'Nee, ik blijf lekker liggen.'

Hij drong niet aan. Ze ging weer zitten op haar badlaken, keek toe hoe Menno met grote sprongen in de richting van het water rende, Constantijn voorbij draafde, daarbij achtervolgd door Aimée. Haar lach klonk over het strand, vrolijk en jong. Ze keek en had het idee dat het niet echt waar was wat ze zag. Dat het niet Menno was, die zich in de golven stortte, die plotseling niets meer weg leek te hebben van de wat stijve man die hij was. Tegelijk met Aimée dook ook Constantijn het water in, en de zee leek zijn reserves weg te nemen. Hij zwom bij hen weg en zij volgden. Menno drukte hem kopje onder, Aimée duwde op haar beurt zijn hoofd onder water. Zij was de toeschouwer. Hoe kwam het toch dat ze zich steeds zo oud voelde?

'Ik trakteer,' zei Aimée. 'Bij de haven zit een fantastisch restaurant.' Ze was bruiner geworden deze dag, en had haar korte broek verwisseld voor een vlot, wit jurkje. Haar donkere haren glansden.

'Ben je hier bekend?' informeerde ze.

'Ja natuurlijk, mijn ouders hebben hier een huis in de buurt. Ze komen er al jaren, en dat heeft tot gevolg dat ik hier ook al jaren kom. Het huis dat jullie gehuurd hebben, is van kennissen van mijn ouders. Heeft Menno je dat niet verteld?'

Ze schudde haar hoofd.

'Nou en of ik dat verteld heb,' reageerde Menno heftig. 'Waarom

zou ik dat achterwege laten? Je bent het natuurlijk weer vergeten.'
'Wat doet het ertoe?' redde Aimée de situatie. 'Ik ben hier bekend, en dat heeft als voordeel dat ik ook weet waar je heerlijk kunt eten. Het restaurant waar ik jullie naartoe breng, is klein, maar heeft nauwelijks concessies gedaan aan het toerisme. Jullie zullen al wel gemerkt hebben hoe belangrijk vis in Frankrijk is; met de lange kuststrook van vijfenvijftighonderd kilometer die dit land heeft, is dat niet zo verwonderlijk. Ik ben zelf gek op vissoep of salade met vis, dus ik haal hier mijn hart op.'
'Ik wil niet dat jij betaalt,' sputterde Menno tegen.
'Dan blijf jij maar thuis.' Ze lachte. 'Tijn, jij gaat wel met me mee, hè?'
'Als je er op staat,' gaf Menno zich meteen gewonnen.
Het was of hij een slecht toneelspel opvoerde. Ze voelde zich nog steeds toeschouwer; machteloos zag ze het gebeuren.
'Vonne, jij gaat toch ook mee?' Hij pakte haar hand. 'Je bent zo stilletjes vandaag. Heb je hoofdpijn?'
'Welnee, natuurlijk ga ik mee.' Misschien gebeurde er niets, verbeeldde ze het zich alleen maar. Hij sloeg zijn arm om haar heen. 'Laten we ons maar eens flink te buiten gaan. Aimée betaalt.'
'Als ik te veel Calvados drink, mag ik zeker wel blijven slapen?' wilde Aimée weten.
'Dan zul je tussen ons in moeten.' Ze probeerde ontspannen te reageren. 'Menno zal dat niet zo erg vinden, maar ...'
'Dat dacht je. Ik ben erg gesteld op mijn eigen plek.' Hij sloot de deur af, pakte haar hand, en even later liepen ze achter Aimée en Constantijn naar beneden.
Ze probeerde zich voor te houden dat er werkelijk niets gebeurde.

14

'*WELKOM THUIS! HEB JE HET NAAR JE ZIN GEHAD IN LA DOUCE FRANCE?*'
Ze was verbaasd zijn e-mail tussen de lijst van inkomende mail in
haar computer aan te treffen. Bij haar weten hadden haar leerlingen alleen haar mailadres van school, en ze wist zeker dat ze Reinier
nooit haar privé-adres had gegeven. Ze klikte een andere mail aan.
Het was onvoorstelbaar hoeveel er in haar mailbox zat. Zonder veel
interesse las ze wat haar geschreven was, maar in haar achterhoofd
bleef de vraag hangen hoe hij aan haar adres was gekomen.

Buiten hoorde ze hoe Menno de auto afspoot, een ritueel dat door
hem zowel vóór als na de vakantie werd uitgevoerd. Het was goed
weer thuis te zijn, hoewel de dagen in Port en Bessin heerlijk waren
geweest en ze zeker hun dagelijkse zwempartij in zee zou missen.
Aimée was niet teruggeweest na die ene dag, en nu leken haar
gevoelens van toen plotseling overspannen. Volgens Menno had hij
haar werkelijk verteld dat hij het huis had weten te huren via familie van Aimée. Waarschijnlijk had hij gelijk. Ze wist zelf niet wat
haar die dag bezield had. Wellicht was de jeugd van Aimée mede
debet aan haar gevoelens. Naast deze jonge, enthousiaste lerares
voelde ze zich bezadigd, viel de rijpheid van haar lichaam niet langer te ontkennen. Ze had er moeite mee. Steeds vaker stond ze voor
de spiegel, kneep in het vet van haar heupen, ontdekte in het mee-
dogenloze licht boven de wastafel putjes in haar bovenbenen. Ze
kreeg steeds meer een hekel aan dat lichaam dat haar jeugdige geest
niet bij kon houden.

'*Hoe kom jij aan mijn e-mailadres?*' beantwoordde ze de mail van
Reinier zonder verder op zijn vraag in te gaan. Hij was kennelijk
online en in de buurt, want ze kreeg per omgaande bericht terug.
'*Je had een mailtje op tafel liggen toen ik die middag met je mee naar huis
ben geweest. Ik wist me het adres dat erboven stond, nog te herinneren.*'
Ze kon het zich niet voorstellen, maar er was blijkbaar iets met haar
geheugen aan de hand. Ze kon zich wel meer niet herinneren.
'*Waar ging dat mailtje dan over?*'

'Je denkt toch niet dat ik dat ga lezen?'

Ze bleef online, beantwoordde nog wat mail. Opnieuw kwam er een bericht van Reinier binnen.

'We kunnen beter gaan chatten als we over en weer toch zulke korte mailtjes sturen.'

Ze dacht even na, typte toen. *'Dat lijkt me geen goed idee.'*

Ze zou nu moeten afsluiten, maar ze wachtte toch nog even.

'Je vindt me te vrijpostig.'

In gedachten zag ze hem voor zich. Hoe hij haar met de beste bedoelingen had gemaild, en zij hem alleen maar met achterdochtige berichtjes had bestookt. Hij zou teleurgesteld zijn, en hij had dit niet verdiend.

'Ik vind je niet te vrijpostig, was alleen benieuwd hoe je aan mijn adres was gekomen. Mijn privé-adres geef ik nooit aan leerlingen, zoals je weet. Als je wilt mailen, kun je dat naar mijn schooladres doen. Aangezien je het nu toch weet, kan ik je net zo goed antwoorden, hoewel het niet de bedoeling is dat we nu frequent met elkaar gaan mailen. In Frankrijk hebben we het erg naar onze zin gehad in een prachtig huis, met schitterend weer, en de zee onder handbereik. Hoe was het in de bergen van Zwitserland?'

Ze aarzelde even, verstuurde toen toch het bericht. Buiten hoorde ze hoe Menno de kraan dichtdraaide. Het zou niet zo heel lang meer duren voordat hij zin in koffie kreeg.

'Veel gewandeld en veel gelezen. Mijn oom en tante zijn ook nog geweest. Heerlijk met mijn tante over de Duitse literatuur geboomd. Wist jij dat er in Duitsland een 'Rilke-project' bestaat? Zangers en toneelspelers die in Duitsland populair zijn, zoals Nina Hagen, vertolken teksten van Rilke. Zo proberen ze het werk van hem toegankelijker te maken voor de mensen.'

Hij wist zo veel. Elke keer verwonderde haar weer zijn onstilbare honger naar informatie over de Duitse literatuur. Ze wist dat hij het ontzettend goed deed op het vwo, maar met Duits sprong hij boven alles uit. Hij deed haar aan zichzelf denken. Hij zou een kind van haar kunnen zijn. Ze glimlachte onwillekeurig en beantwoordde zijn mail.

Even later begon hij over Patrick Süskind, een Duitse schrijver die ze ook bewonderde. *'Ik heb 'Das Parfum' van Süskind op de kop weten te tikken. Een huiveringwekkende, fascinerende roman.'*

Zij werd ook enthousiast, boomde met hem over de achterliggende gedachten in de boeken van Süsskind, over de zonderlinge figuren die in al zijn werken naar voren kwamen. Antihelden die zich niet wisten te redden in de samenleving. Al schrijvend voelde ze zich opgenomen in een wereld die haar gelukkig maakte met iemand die haar volgde in die wereld, onder woorden wist te brengen wat haar bezighield. Ze liet zich meeslepen, zoals ze vroeger door Menno was meegesleept. Zo jong voelde ze zich weer, vol bezieling bezig met dat wat haar het liefste was.

'Yvonne, heb je de koffie al klaar?'

Menno's stem onder aan de trap bracht haar terug tot de werkelijkheid. Ze hoorde het ongeduld in die stem, het sarcasme ook, vragend naar de bekende weg. Het was hem allang duidelijk dat de koffie niet klaar was.

Tot haar schrik hoorde ze nu zijn snelle voetstappen op de trap. Ze kon nog net intypen dat ze ermee stopte, het lukte haar om naar een ander mailtje over te springen voordat hij achter haar stond.

'Wat ben jij dan aan het doen?'

'Ik keek of er nog belangrijke berichten waren binnengekomen.' Ze scrolde naar boven zodat hij de naam van Reinier niet steeds zou zien staan.

'Kon dat niet even wachten? Er ligt nog een hele stapel wasgoed. Ik heb de auto al gewassen, het gras al gemaaid, en jij zit hier doodgemoedereerd achter de computer.'

Woedend maakten zijn woorden haar.

'Alsof jij niet zelf in staat bent een kop koffie te zetten,' beet ze hem toe. 'Waar bemoei jij je eigenlijk mee? Ik mag zelf weten wanneer ik wat doe, en als het je te langzaam gaat, was je zelf maar!'

'Tut, tut, zo ernstig is het toch niet?'

'Zo ernstig is het wel! Ik ben er doodziek van dat ik altijd jouw bevelen moet opvolgen. Alles moet verlopen zoals jij dat in je hoofd hebt gezet.'

Hij staarde naar haar alsof hij niet geloofde dat zij het was die dit soort dingen tegen hem zei. Daarna draaide hij zich langzaam om. 'Zal ik dan maar koffiezetten? Ik zie je met een minuut of tien wel beneden.'

Ze voelde zich belachelijk, wilde opstaan en tegen hem zeggen dat zij dat wel zou doen, maar op een of andere manier zou ze zich dan nog dwazer voelen. 'Je ziet me wel,' zei ze afgemeten, keek toe hoe hij de kamer uitliep, luisterde naar zijn voetstappen die bedaard naar beneden liepen. Als zij kwaad was, werd Menno rustig. Daardoor voelde ze zich altijd de mindere. Hij had de situatie in de hand. Hij kwam er altijd als winnaar uit. Ze zuchtte en sloot de computer af.

'Ik heb een paar flessen wijn uit Frankrijk voor je meegenomen,' zei ze terwijl ze het kistje op tafel zette. 'Niet erg origineel, maar ik weet hoe graag je een glaasje wijn drinkt, en ik wist niets anders te bedenken.'

Ze ging in de stoel achter het huis zitten. Haar vader zette twee glazen appelsap op tafel en zette zich naast haar. Hij nam het kistje in zijn handen en bestudeerde de etiketten. 'Het lijken me een paar mooie flessen. Ik heb liever een fles wijn waar ik een paar avonden van kan genieten dan een of ander prulletje waarvan ik toch niet weet waar ik het moet neerzetten. Bedankt, kind. Je had het niet hoeven doen, maar ik vind het wel lekker.'

De wasmachine in haar eigen huis draaide nog, maar ze had al hele stapels wasgoed de kast in gewerkt. Menno zei niet meer dan het hoognodige. Ze had besloten dat ze even weg wilde.

'Heb je het naar je zin gehad, kind?'

Ze had gehoopt dat hij alleen zou zijn. Nu ze naast hem zat, voelde ze zich weer zijn kind. In zijn stem klonk oprechte interesse door.

'Het was heerlijk,' verzuchtte ze. 'Binnenkort zijn de foto's klaar. Menno en Constantijn hebben veel foto's op de digitale camera gemaakt, maar die moeten ook nog uitgezocht worden voordat we ze laten afdrukken.' Hij zou ze bij hen thuis op de computer kunnen bekijken, maar ze nodigde hem niet uit. 'Ik houd nog van ouderwetse foto's,' zei ze. 'Voordat ik hiernaartoe ging, ben ik even langs de fotograaf geweest. Over drie dagen kan ik ze ophalen. Het is dan altijd een verrassing of ze zo mooi zijn geworden als ik voor ogen had.'

'Mamma had het ook al eens over een digitale camera,' zei hij. 'Ze meende dat het veel makkelijker was omdat je meteen kunt zien of de foto's gelukt zijn of niet. Mamma was veel meer met dat soort dingen bezig dan ik. Ze wilde een computercursus gaan volgen. We hebben van jullie toen die oude computer gekregen, maar we hebben dat ding nauwelijks gebruikt. Ze wilde graag leren e-mailen, zodat ze jou zo nu en dan eens een mailtje kon sturen, en Constantijn natuurlijk.'

Hij leunde achterover in de tuinstoel, wreef met zijn hand over zijn gebruinde voorhoofd. Mager was hij geworden, de afgelopen tijd, met lijnen langs zijn mond.

'Het is goed dat we niet in de toekomst kunnen kijken,' merkte ze op. 'Het gaat vaak zo anders dan we denken.'

Hij dronk een slok appelsap uit het glas dat voor hem op tafel stond. 'Het is net alsof het gemis juist de laatste tijd in volle hevigheid op me afkomt,' zei hij. 'Misschien kon het de eerste maanden gewoon niet tot me doordringen dat ze er werkelijk niet meer is. Die zomermaanden waren zo moeilijk. Iedereen ging op vakantie, zat samen achter het huis. Wij hadden ook plannen; we zouden gaan fietsen in Limburg. Het huisje was al besproken. Ik heb het afgezegd. Wat moet ik alleen in Limburg? Maar ja, hier zit ik dan ook maar alleen in de tuin, terwijl we er anders altijd met z'n tweeën zaten. Je weet hoe mamma was. Ze leefde in de zomer bijna helemaal buiten. Het plotselinge van haar sterven wil er bij mij nog steeds niet in. Het totaal onvoorbereide. Ik heb afscheid van haar genomen voordat ik naar die expositie ging, zonder te weten dat het een afscheid voor eeuwig zou zijn. Nu zou ik het over willen doen. Ik zou haar nog zo veel willen zeggen. Veel te weinig heb ik haar laten merken hoeveel ze voor me betekende.'

'Ze heeft het wel geweten,' merkte ze voorzichtig op. 'Uit alles bleek, ook zonder woorden, hoeveel jullie van elkaar hielden. Ik zou willen dat mijn huwelijk ook maar iets op dat van jullie zou lijken.'

'Mamma zei altijd dat je zo eenzaam was.'

Ze pakte zijn hand; ze zweeg, omdat woorden tranen tevoorschijn zouden brengen.

'Ik zou je veel gelukkiger willen zien,' zei hij. 'Het heeft voor mij te kort geduurd, maar mamma en ik zijn toch gelukkig geweest. We hadden het goed samen, deelden onze zorgen, onze gedachten, onze gevoelens. Daar ben ik oprecht dankbaar voor.'

Ze keek naar de kleine tuin, die vooral haar moeders domein was geweest, maar nu door haar vader goed bijgehouden werd. De paarse vlinderstruik werd bezocht door koolwitjes; daarnaast staken de gele zonneogen fel af. Achter in de tuin waren de rozen, de trots van haar moeder. Zacht geurende klimrozen in elegant zalmroze, die hun weg via de pergola naar boven zochten. Daaronder een tapijt van trosrozen in het brutaler donkerroze, afgewisseld met chique donkerrode rozenstruiken. Al haar liefde legde haar moeder in die rozen. Ze kon lyrisch worden over de geur, de vorm en de kleur, en nu ze naar dat schitterende schouwspel achterin de tuin keek, was het alsof haar moeder heel dichtbij was.

'Het is allemaal voorbij. Nooit komt het terug.' Hij had haar blik gevolgd. 'Wat blijft, is de herinnering. Wat ons mag troosten, zijn de woorden van de dominee. Weet jij het nog?'

Nee, ze wist het niet. Alles was in die dagen langs haar heen gegleden.

'God heeft haar gevraagd bij Hem te komen. Hij heeft de deur van de poort voor haar opengezet, en zij heeft die invitatie aangenomen.'

'Zouden ze wel rozen hebben in de hemel?'

'Vast wel. Misschien mag zij ze verzorgen.' Hij leunde achterover. Zijn ogen vingen de rozen aan het einde van de tuin. 'Ik denk dat de kleuren van de rozen daar nog veel mooier zijn.

Onvoorstelbaar mooi.' Hij knikte. 'Ja, onvoorstelbaar mooi.'
Zij zweeg, maar bleef zijn hand vasthouden. Het was goed hier met
hem te zitten.

15

ZE VROEG ZICH AF OF HET VAKER WAS GEBEURD IN DE DRIE WEKEN DIE
ze sinds de zomervakantie weer op school was, maar dat het haar
misschien toen niet was opgevallen. Nu viel het haar wel op. Ongemakkelijk was de stilte ineens toen ze de deur opende en de lerarenkamer binnenkwam, net alsof ineens niemand meer iets wist te
zeggen. Misschien verbeeldde ze het zich toch. Ze liep naar de koffie, hoorde hoe een collega zijn keel schraapte en draaide zich
ineens om. 'Hadden jullie het over mij?'
Bouwe Verbaan opende zijn mond en sloot die weer. Bettine kwam
overeind. 'We vroegen ons af of we je moesten waarschuwen,'
meldde ze wat onzeker.
'Waarschuwen? Waarvoor?'
'Reinier van Rooi,' zei Bouwe langzaam.
'Wat is er met Reinier? Is hij ziek, heeft hij een ongeluk gehad?'
Een rode kleur trok vanuit haar hals naar boven toen ze de spot-
tende blikken om zich heen zag.
'Dat bedoelen we nou,' zei Daan Schippers die economie gaf.
'Wat bedoelen jullie nou?' Ze probeerde zich een zelfverzekerde
houding te geven, maar merkte dat die poging meteen strandde.
'Je bent te veel bij die jongen betrokken,' vervolgde Daan.
'En daar wordt over gepraat,' vulde Bettine aan.
'Hoezo, te veel bij die jongen betrokken?'
'Yvonne, je weet best wat ik bedoel. Sinds de zomervakantie staat
hij elke dag na schooltijd op je te wachten. Hij heeft vorige week
zelfs economie verzuimd om maar op tijd te zijn. Vanuit het raam
kon Daan jullie zo zien staan.'
'Hij leent boeken van me, en momenteel heeft hij het thuis nogal
moeilijk. Zijn ouders gaan scheiden. Als mentor van zijn klas zou
Daan dat toch moeten weten. Ik wil hem niet steeds mee naar huis
nemen, dus praat ik hier op school met hem.'
'Je moet heel goed weten waar je mee bezig bent,' bemoeide Bouwe
zich er weer mee. 'Helpen is goed, maar dit is overdreven. Het pro-

bleem is dat er niet alleen in de lerarenkamer over gesproken wordt, maar dat de leerlingen er ook over beginnen.'

'Dat is het probleem van deze tijd.' De koffie brandde in haar keel, en er schoten tranen in haar ogen. Geërgerd veegde ze die weg. 'Overal wordt iets achter gezocht. Iets zuivers wordt verdacht en smerig gemaakt. Ik ben de lerares van Reinier, en hij is een uitstekende leerling. Hij heeft dezelfde affiniteit met het vak Duits als ik. Hij is geïnteresseerd in de Duitse literatuur. Je moest eens horen hoe die jongen over werk van Schiller of Goethe praat. Hij kan gedichten van Heine declameren. Dat doet hij zo uit het hoofd. Zo'n leerling inspireert mij als docent enorm. Bovendien vind ik dat hij recht op begeleiding heeft, dat ik hem mag aanmoedigen. Hij verdient dat gewoon, en het troost hem, juist in deze tijd. Reinier is een jongen die van zijn ouders nooit de aandacht heeft gekregen die een kind verdient. Nooit hebben ze hun best gedaan om hem te begrijpen.'

Op alle gezichten rondom haar zag ze ongeloof. Het drong tot haar door dat ze nog veel meer zou kunnen zeggen, maar dat niemand haar serieus wilde nemen. In hun hoofden had zich de gedachte vastgezet dat er tussen haar en Reinier meer was dan alleen vriendschap. Ze weigerden te geloven dat ze de jongen wilde helpen, en niet meer dan dat. Met haar pleidooi maakte ze zichzelf alleen maar ongeloofwaardiger. Alles wat ze zei, leek zich tegen haar te keren. Ze haalde diep adem.

'Denk maar wat jullie willen denken,' zei ze, goot haar koffiekopje leeg in een treurende ficus benjamini en liep met opgeheven hoofd de gang op. Binnenin haar groeide de onzekerheid.

Hij stond naast haar auto te wachten toen ze eraan kwam. Zijn feloranje rugtas stond tussen zijn voeten; daarover lag het donkerblauwe jeansjack dat nu te warm was in de nazomerzon. Ze zag hoe hij met zijn hand door zijn haar streek toen ze naar hem toe liep, een gebaar van onzekerheid dat haar normaal gesproken altijd ontroerde. Hij draaide zich naar haar toe. 'I'm brilliant' stond onder de opdruk van een enorme diamant op zijn zwarte T-shirt. Ze onderdrukte de neiging om zich heen te kijken, maar het was alsof de blikken in haar rug prikten, of elke raam van de school ogen had.

'Vandaag heb ik geen tijd,' zei ze gehaast. Ze hijgde een beetje, alsof ze op de hielen werd gezeten.

'Even maar.' Opnieuw streek hij door zijn haar. 'Mijn moeder heeft vanmorgen verteld ...'

'Ik heb echt geen tijd,' viel ze hem in de rede. 'Voorlopig moeten we het ook maar even zo laten. Het is beter dat je de komende tijd niet meer op me wacht.'

'Waarom dan niet?'

Zijn zichtbare teleurstelling irriteerde haar. 'Er wordt over ons gepraat,' zei ze kort, opende het portier en wilde gaan zitten.

Hij legde zijn hand op haar schouder.

'Niet doen.' Ze veegde hem weg alsof hij een pluisje was. 'Echt, het is beter dat je de komende tijd even afstand houdt.'

'Wat anderen zeggen, interesseert ons toch zeker niet?'

'Ik moet hier wel lesgeven. Mijn man is rector in Emmeloord. Ik kan me geen praatjes permitteren, ook al zijn ze niet waar.'

'Kunnen we niet ergens anders afspreken?'

'Waar dan? Overal kunnen we bekenden tegenkomen.'

'Mag ik je dan tenminste mailen?'

'Kijk maar wat je doet.' Ze sloeg het portier dicht, opende het raam niet zoals gebruikelijk, maar startte de motor en reed weg zonder naar hem te kijken. Toch wist ze hoe hij er zou staan. Haar hart bonsde met felle slagen, en ze nam het zichzelf kwalijk dat ze zich zo had laten opjutten door haar collega's. Ze verweet zichzelf dat ze Reinier daar had laten staan, en in gedachten zag ze hoe hij nu weg zou lopen. Misschien op weg naar een huis waar nooit vrede heerste. Wellicht doelloos omdat hij de leegte van dat huis niet kon verdragen. Ze kreeg de neiging op de rem te trappen en om te keren. Ze gaf er niet aan toe.

Thuis zette ze thee en wachtte tot Constantijn uit school kwam. Ze had een kleedje over de tuintafel gelegd, bloemen uit de tuin geplukt en die in een klein vaasje gezet op het midden van de tafel. In de keuken stond de theepot, gevuld met rooibosthee, op het theelichtje. De bonbons die Constantijn zo lekker vond in een schaaltje ernaast. Om de tijd te doden wandelde ze door de tuin, plukte dode bloemen en probeerde haar gedachten het zwijgen op te leggen. De hortensia's bloeiden nog, evenals de stokrozen die in verschillende kleuren door de tuin verspreid stonden; de rode vlambloem ernaast was over zijn mooiste bloei heen, de hibiscus zat nog boordevol knoppen. Ze bukte zich bij een pol tuinmargrieten die ze na hun eerste bloei had teruggesneden en die nu opnieuw uitbundig bloem gaf. Met al die bloemen trachtte ze het beeld van Reinier terug te dringen, de onzekerheid in zijn houding, de ver- slagenheid na haar afwijzing. Zo had ze het zelf gevoeld; alsof ze hem afgewezen had. Alsof al die andere mensen op school belang- rijker waren dan hij.

De deur van de garage op het erf werd opengeschoven. Met opluch- ting constateerde ze dat Constantijn gearriveerd moest zijn. Ze haastte zich naar binnen, zag hem door het keukenraam over het erf lopen en schonk thee in de daarvoor bestemde glazen. Zorgvuldig rangschikte ze de bonbons nog eens, alsof Constantijn daar aan- dacht aan zou schenken. Hij stond bij het kippenhok toen zij het terras op liep.

'Heb je al eieren geraapt?' wilde hij weten. Ze hoorde zijn stem overslaan. Het ontroerde haar en overweldigde haar tegelijkertijd. Haar zoon was op weg man te worden. Het was haar deze week al eerder opgevallen dat hij plotseling langer leek, zijn gezicht smal- ler, dat er iets van dons boven zijn bovenlip schemerde. Het betre- den van die nieuwe school leek in alle opzichten de weg naar een nieuwe fase in zijn leven.

'Ik heb ze niet geraapt,' beantwoordde ze zijn vraag. Ze zette het schaaltje met bonbons op een schaduwrijk plekje en keek toe hoe haar zoon het kippenhok binnenging met een afgedankte pan die een oor miste.

'Vijf eieren,' riep hij toen hij weer verscheen. Hij schopte de haan die hem dreigend naderde, sloot zorgvuldig het deurtje van de ren en liep in haar richting. Lang en dun was hij in zijn aansluitende shirt waarvan hij de mouwen omhoog had gerold. Ze moest ineens weer aan de diamant denken. 'Ik heb thee voor je,' zei ze. 'Dat is nog altijd de beste remedie tegen dorst.'

Hij zette de pan op tafel en ging op de stoel naast haar zitten, terwijl hij zijn lange benen strekte. 'We kunnen wel een bordje aan de weg zetten dat we eieren te koop hebben,' stelde hij opgewekt voor. 'Hier kunnen we niet meer tegen eten.'

'Ze leggen alle vijf keurig, maar ik weet ze nog wel te verdelen onder familieleden en vrienden.'

Ze hield hem het schaaltje met bonbons voor. Hij koos zorgvuldig. Ze zag hoe hij even later kleine hapjes van de chocolade nam en probeerde de inhoud op te zuigen. Een streepje karamel bleef op zijn kin achter.

'Vind je het nog steeds leuk op school?' wilde ze van hem weten.

Hij haalde zijn schouders op. 'Het is wel heel anders.'

'Er wordt hier natuurlijk meer van je verwacht.'

'Dat valt wel mee. Ik vind het ook wel leuk dat je elk uur een andere leraar krijgt. Je zit niet de hele dag opgescheept met iemand die je niet mag.'

'Zijn er leraren die je niet mag?'

'Natuurlijk.'

'Wat doen ze dan verkeerd?'

'Die vent van Engels ...'

'Man noemen wij zoiets, Constantijn,' wees ze hem terecht.

'Man dan ... het is gewoon een klojo. Hij doet net alsof we kleuters zijn. Hij heeft zelfs al strafwerk uitgedeeld.'

'Toch niet zomaar, hoop ik?'

'Een paar meiden bleven maar praten. Helemaal niet hard of zo, maar hij had er last van. Anderen waarschuwen dan nog een paar keer, maar deze vent ... man begint meteen met strafwerk. Jij doet dat toch ook nooit.'

'Ik geef ook wel strafwerk als ik dat nodig vind. Soms moet je een daad stellen omdat anders niemand je serieus neemt.'

'Ik neem een leraar die meteen zo begint, ook niet serieus. Niemand trouwens.'

Ze vroeg zich af hoe haar leerlingen over haar zouden denken. Voor haar idee kon ze goed met de jeugd overweg. Ze hoefde haar heil niet te zoeken bij strafmaatregelen. Meestal probeerde ze op een aangename manier op haar leerlingen over te brengen wat ze van hen wilde. Overwicht had ze op de klassen die ze les gaf. Zij nam haar leerlingen serieus. De leerlingen namen haar serieus. Meteen was er weer die opmerking van Bouwe, alsof die ergens in haar hersens had afgewacht tot de tijd rijp was om haar te bespringen. 'Het probleem is dat er niet alleen in de lerarenkamer over gesproken wordt, maar dat de leerlingen er ook over beginnen.'

Ze probeerde die stem meteen het zwijgen op te leggen. 'Neem nog een lekkere bonbon en wees blij dat er maar één leraar is die zo doet.'

'Als jij ook zo zou doen, zou ik blij zijn dat ik niet bij jou op school zit. Nu vind ik het wel eens jammer.'

'Dat je vader rector van jouw school is, lijkt me al erg genoeg.' Ze probeerde zich opgewekt voor te doen, zag hoe hij opnieuw de bonbons bestudeerde en koos voor pure chocolade, gevuld met een zachte hazelnotenvulling.

'Ik zie pappa nooit,' merkte hij op voordat hij zijn eerste hap nam en in de bonbon keek om de vulling te analyseren. 'Aimée wel. Het is leuk haar als lerares te hebben. Frans is lang zo erg niet als ik dacht.'

'Dat zei ik je toch al.'

Ze was blij dat hij niet bij haar in de klas zat of op school. Stel je voor dat er ook onder zijn vrienden over gepraat werd. Nu zou hij het niet horen. Opnieuw voelde ze zich schuldig, en ze verachtte zichzelf erom.

'Je verwent me wel vanmiddag,' zei Constantijn tevreden, terwijl hij het laatste stukje chocolade in zijn mond stak. 'Je hebt toch niets goed te maken?' Hij lachte erbij. 'Anders lust ik nog wel een bon-bonnetje, hoor.'

Ze griste het schaaltje onder zijn begerige vingers vandaan en vroeg zich af waarom ze hier vanmiddag op haar zoon had zitten wachten. Had ze iets goed te maken? Wilde ze op deze manier haar schuldgevoel het zwijgen opleggen? Schuldgevoel ten opzichte van wie? Van haar collega's, van Constantijn? Of toch vanwege die jongen met die diamant op zijn shirt?

16

DE VOLGENDE DAG BESLOOT ZE NA SCHOOLTIJD NOG EVEN BIJ HAAR
vader langs te gaan. Vol spanning was ze aan deze dag begonnen. Ze
had zichzelf moeten overwinnen om toch weer die lerarenkamer
binnen te stappen.

Vervolgens had ze erg opgezien tegen de les die ze aan de klas van
Reinier moest geven. Reinier bleek zich ziek te hebben gemeld. Het
leverde tegenstrijdige gevoelens op. Enerzijds opluchting, anderzijds weer dat ellendige schuldgevoel. Hij was toch niet ziek vanwege haar?

Ze was blij toen ze aan haar laatste uur toe was, verbleef niet langer
dan noodzakelijk in de lerarenkamer en reed toen naar haar vader.
Hij was alleen.

'Lidy laat zich hier niet zo vaak meer zien,' vertelde hij terwijl hij
koffie voor haar zette. 'Ze heeft zich waarschijnlijk toch dingen in
het hoofd gehaald waaraan ik nog niet toe ben.' Hij zweeg even,
staarde naar buiten. 'Volgens haar heb ik haar daartoe aanleiding
gegeven.'

'De wens is wel eens de vader van de gedachte,' merkte ze op. 'Ze
wilde graag meer, heeft gehoopt dat jij daar ook al snel aan toe zou
zijn en heeft in alles wat jij deed, alleen maar een bevestiging gezien
van haar hoop.'

'Soms praat je zo geleerd dat ik er niets van snap,' klaagde hij.

'Ik bedoel dat de buurvrouw na de dood van mamma misschien
heeft gehoopt dat jullie meer voor elkaar zouden gaan betekenen.
Met die gedachte in haar achterhoofd keek ze naar alles wat je deed
of wat je haar vroeg. Als je haar vroeg samen iets te ondernemen,
dacht ze dat je dat deed omdat je wel iets in haar zag. Als ze die
hoop niet had gekoesterd, had ze anders naar die dingen gekeken.
Het is jammer dat het zo moest lopen.'

'Ik vond het ook wel gezellig dat ze er was en dat we vaak samen
aten. Het is zo stil zonder mamma.'

'Zij hoopte dat het meer kon worden, en misschien was het dat ook wel geworden, maar ik kan me voorstellen dat je meer tijd nodig hebt.'

'Ik wil nog niet aan iemand anders denken,' bekende hij. 'Mamma is nog maar zo kort weg.'

De koffie was klaar. Zij keek toe hoe hij kopjes klaarzette en volschonk. Hij had het ook vaak gedaan toen haar moeder nog leefde. Voor zijn tijd was haar vader een geëmancipeerde man geweest, die niet aan rollenpatronen hechtte. Hij had het heel belangrijk gevonden dat zijn dochters konden studeren, dat ze iets zouden bereiken in het leven.

'Zal ik de kopjes meenemen?' bood ze aan, maar hij schudde zijn hoofd en liep voor haar uit. 'Zullen we maar in de tuin gaan zitten?'

Heel even keek ze in de kamer, zag een glimp van de straat door het grote raam voor. Ze hield in en liep terug alsof ze niet geloofde wat ze zag.

'Is er iets?' informeerde haar vader.

'Welnee, wat zou er moeten zijn?'

Haar hart bonkte met felle slagen. Ze zocht een plaatsje waarvandaan zij de straat niet zag en vanaf de straat niet gezien kon worden. Achter het huis klonken voetstappen van de buurvrouw.

'Ik zal binnenkort wel naar haar toe gaan om het uit te praten,' zei haar vader zacht. 'We wonen toch naast elkaar, en ze heeft de afgelopen tijd veel voor me gedaan. Ik ben haar dankbaar. Dat is het probleem niet.'

'Ze zal het vast begrijpen,' zei ze, maar ze kon haar aandacht niet langer bij het gesprek houden. Ze zei maar wat, voelde zich plotseling opgejaagd.

'Ik moet zo naar huis,' zei ze. 'Heb je misschien zin om aanstaande zondag een dagje bij ons te komen?'

Ze zag duidelijk hoe hij zocht naar uitvluchten.

'Ik zou zondag naar Jacqueline en Floris gaan.' Hij wist nog net zijn opluchting te onderdrukken, en zij wist zeker dat hij loog, maar het interesseerde haar niet. Ze wist dat hij liever geen dag bij haar thuis doorbracht, en in het bijzonder niet in de nabijheid van Menno.

'Dan kom ik binnenkort wel weer hier. Constantijn zal eerdaags ook wel eens mee willen komen. Hij vindt het leuk op school.' Ze probeerde monter te lijken, vooral niets van haar onrust te laten merken en dronk met kleine slokken van haar koffie.

'Vanmiddag moet ik nog proefwerken nakijken. De dagen zijn ook maar weer zo voorbij.' Nu loog zij. Ze had nog geen proefwerk gegeven. Haar vader zou het niet in de gaten hebben.

'Doe Jacqueline en Floris maar de hartelijk groeten.' Haar kopje was leeg. Ze sloeg zijn aanbod voor een nieuw kopje af. De buurvrouw liep nog steeds achter het huis. Ze neuriede alsof ze bang was dat ze niet gehoord zou worden. 'Ik ga nu maar,' kondigde ze aan. 'Blijf hier maar gerust zitten. Ik kom er zelf wel uit.'

Nerveus liep ze door de gang en wierp in het voorbijgaan een blik door het raam in de kamer. Er was niemand te zien, en toch was ze ervan overtuigd dat hij er nog moest zijn. Ze hoorde nog net hoe haar vader de buurvrouw riep voordat ze de deur opende.

Langzaam liep ze het smalle tuinpad af. Ze zag hem niet meteen, maar ontdekte hem toen toch in de schaduw van een magnolia bij de overburen. Even twijfelde ze, overwoog weg te rijden en te doen alsof ze hem niet had gezien. Meteen verwierp ze die gedachte. Ze knikte hem toe. 'Wat doe jij hier?'

Zijn hand streek door zijn haar. Wat aarzelend liep hij haar richting uit.

'Je bent toch ziek?'

'Dat was ik,' verbeterde hij traag.

'Zo snel weer opgeknapt? Wat heerlijk.' Ze had het niet zo cynisch gemeend als het klonk. Hij weifelde opnieuw.

'Ik neem aan dat je me wilde spreken? Je kwam toch niet toevallig voorbij?'

Hij schudde zijn hoofd, onafgebroken zijn blik op haar gezicht gericht.

'Ik wilde graag even met je praten.'

'Stap dan maar in.'

Ze opende het portier aan haar kant, ging zitten en strekte zich om het portier aan zijn kant ook te openen.

'Moet ik je ergens heen brengen?'

'Ik zou niet weten waarnaartoe.'

'Hoe is het thuis?' Ze startte de motor en keek of haar vader niet toch voor het raam stond. Tot haar opluchting was er niemand te zien.

'Mijn moeder is weg,' zei hij. 'Ze blijkt een vriend te hebben die minstens zo goed in de slappe was zit als mijn vader. Hij is vaatchirurg.'

'Ze heeft dus iets met die man.'

'Zo kun je het noemen.'

'Wat beroerd voor je vader.'

'Ik denk niet dat je ook maar een moment medelijden met die man hoeft te hebben. Mijn vader rolde van de ene affaire in de andere. Jaren lang waren er scènes, en elke keer vergaf mijn moeder hem wat hij deed. Ze heeft nu op de meest effectieve manier wraak op hem genomen.'

'Heb je al besloten waar je gaat wonen?'

'Ik heb het idee dat de vaatchirurg niet echt op het kind van zijn geliefde zit te wachten.'

'Je blijft dus bij je vader.'

'Ik ben op zoek naar woonruimte om op mezelf te gaan wonen.'

'Kun je daar niet beter mee wachten tot je volgend jaar gaat studeren? Er staat dit jaar toch veel op het programma. Je moet je examen zien te halen. Volgend jaar ga je misschien elders studeren. Het is toch veel handiger dan iets in de buurt te zoeken.'

'Je lijkt mijn vader wel,' schamperde hij, en ze schrok van de afkeer die uit zijn stem klonk.

Doelloos laveerde ze haar auto door de stad. 'Misschien heeft je vader er toch moeite mee als je weg zou gaan.'

'Dat lijkt me stug.'

De afweer bleef.

'Wat verwacht je nu van mij?'

'Ik begrijp niet waarom je er gisteren zo ineens vandoor moest.'

'Er wordt over ons gepraat,' vertelde ze hem onomwonden. 'Dat zei ik je toch al?'

'Denk je dat dat iets van de laatste tijd is? Er wordt al veel langer over ons gepraat. Mensen houden ervan te roddelen, en de mensen op school vormen daar geen uitzondering op.'

'Ik denk dat we moeten proberen geen aanleiding meer tot dat geklets te geven. Misschien moeten we elkaar de komende tijd op school een beetje mijden. Dat wil niet zeggen dat ik je niet langer wil helpen. Ik weet dat dit een moeilijke tijd voor je is. Je ouders gaan scheiden, en al weet ik wel dat je dat al heel lang zag aankomen, het blijft toch moeilijk. Je wilt toch niet dat je ouders gaan scheiden.'

'Het maakt mij weinig uit.'

Ze had de auto nu in de richting van het station gestuurd en reed langs het theater. Haar gedachten draaiden op volle toeren. Ze vroeg zich af of hij werkelijk meende wat hij zei en kon zich dat niet voorstellen. Steeds meer raakte ze ervan overtuigd dat hij veel meer pijn en verdriet kende dan hij zichzelf wilde toegeven. Op school werd hij niet geaccepteerd binnen de klas. Hij haalde goede cijfers, en leek veel verder dan zijn medeleerlingen, zowel op intellectueel als op geestelijk gebied. Juist dat maakte hem tot een buitenbeentje. Ze wist het, wilde hem de helpende hand bieden, maar hij wilde er niet over praten. Hij deed alsof het er niet was.

'Waar ga je naartoe?' wilde hij nu weten.

'Ik wilde naar het park. Misschien kunnen we daar een eindje wandelen of iets drinken.'

'Ik heb geen zin om ergens naartoe te gaan waar allemaal opgewekte mensen rondlopen. Vind je het erg om naar mijn huis te rijden?'

'Uiteraard niet. Vertel me maar hoe ik er het snelste kan komen.'

'Begin maar met hier rechtsaf te slaan.'

Ze kende zijn adres en ze wist dat hij in een fraai huis moest wonen. Ze reed de lange ringweg af en maakte af en toe een opmerking over het weer, het verkeer of andere dingen die niet ter zake deden. Zijn antwoorden waren kort.

'Je moet hier links,' wees hij, en ze had dat ook geweten zonder dat hij het gezegd had. Als kind fietste ze over de weggetjes waaraan ook de woning van zijn ouders moest liggen. Veel wist ze in die tijd nog niet, maar wel dat het dure huizen waren, dat er mensen met veel geld woonden. In die tijd had ze zich wel eens voorgesteld hoe het moest zijn om daar thuis te zijn, zo heerlijk in de nabijheid van de recreatieplas waar ze in de zomer verkoeling zocht. Vol verlangen keek ze dan ook naar de manege. Ze wist zeker dat je ook mocht paardrijden als je in een van die huizen woonde. Zij was er nooit binnen geweest omdat paardrijden te duur was voor 'ons soort mensen', zoals haar vader dat zo prachtig wist uit te drukken. Nu reed ze onder het viaduct door en belandde achter een begrafenisstoet waarvan ze wist dat die al snel rechtsaf zou slaan naar de begraafplaats waar ook haar moeder lag.

'Dit huis is het,' hoorde ze hem plotseling zeggen. Ze remde en hield net voor de kapitale woning stil.

'Je mag me mailen,' zei ze.

'Ga je niet even mee naar binnen?'

'Ik kan toch niet ... wat zullen je ouders ...'

'Zoals je weet, is mijn moeder vertrokken. Mijn vader is naar zijn werk. Ik hoopte dat je hier nog even wat zou willen drinken. Dat bedoelde ik eigenlijk. Ik wil graag met je praten, maar niet te midden van allemaal vrolijke mensen.'

'Ik weet niet of het verstandig is.'

'Wat maakt dat nou uit? Je bent mijn lerares, toch niet mijn minnares? Ik wil je graag laten zien wat ik tijdens mijn vakantie heb gekocht.'

Schoorvoetend gaf ze toe.

'Je mag de auto op het pad zetten,' zei hij.

Wat ongemakkelijk liep ze even later achter hem aan naar binnen, een grote donkere hal in, waarvan de parketvloer glansde.

'Wat een prachtige vloer,' merkte ze op.

'We hebben een hulp die niets liever doet dan die vloer poetsen. Ik heb het idee dat mijn moeder nog meer inzit over de hulp die ze moet achterlaten dan over mij.'

'Misschien zie je het toch een beetje te negatief.'

'Jij kent mijn moeder niet.' Hij ging haar voor naar een kamer met zelfde glanzende parketvloer, meubels in Engelse stijl en wanden vol boeken.

'Ik haal iets te drinken.' Hij had zijn schoenen uitgetrokken en liep op blote voeten op het gewreven parket. 'Maak het je gemakkelijk,' zei hij, terwijl hij glazen uit een antiek buffet pakte en die mee naar de keuken nam.

Ze liep naar de grote schuifpui en bleef daarvoor staan. Op het aangrenzende terras stond een fraai teakhouten tuinstel, voorzien van dikke, kleurige kussens. Vanaf het terras kronkelde een klinkerpad door de tuin, tussen de borders vol bloemen door, in de richting van de grote vijver achterin.

'Wil je liever buiten zitten?'

Ze schudde haar hoofd en voelde ineens heel erg de behoefte dit huis te verlaten. Ze glimlachte naar hem. 'Het is een erg mooie tuin.'

'We hebben een goede tuinman,' merkte hij cynisch op. 'Bovendien doet mijn moeder in haar vrije tijd niets liever dan in die tuin werken. Volgens mij staat er geen sprietje verkeerd.'

'Soms krijg ik het idee dat je te negatief over je ouders denkt.'

'Geloof je me niet?'

'Natuurlijk geloof ik je; daar gaat het niet om. Ik heb alleen het idee dat je soms te snel oordeelt. Je bent er al van overtuigd dat de nieuwe man van je moeder niet op jouw aanwezigheid gesteld is. Heeft hij je dat gezegd?'

'Dat is toch meestal zo?'

'Daar heb je het al. Je neemt dat zomaar aan. Zo neem je ook aan dat je ouders niet van je houden. Jouw ouders hebben een druk leven. Wil dat zeggen dat ze niet om je geven?'

'Ik wil er liever niet over praten.'

'Ik meende dat je het daar juist wel over wilde hebben.'

'Ik wilde je laten zien wat ik in de vakantie heb gekocht.'

Soms was hij een man waarmee ze een goed gesprek kon voeren over alles wat haar bezighield. Nu leek hij een kind dat gefixeerd was op zijn nieuwe speelgoed.

Ze zuchtte. 'Laat maar zien dan.'

'Het staat op mijn kamer. Drink eerst je glas maar rustig leeg'

Ze aarzelde even, ging toen zitten op de bank met ingeweven rozen en dronk met grote slokken van de gecombineerde vruchtendrank die hij haar had ingeschonken. Onderwijl bleef ze zich heel erg bewust van zijn heldere blauwe ogen die op haar rustten. Waarom voelde ze zich hier niet op haar gemak? Het was alsof ze in dit huis haar overwicht kwijtraakte, of ze niet langer de lerares met de leerling was, maar of er meer was, iets anders, wat haar beangstigende.

'Je had dorst,' constateerde hij toen ze haar lege glas op tafel zette.

'Laat maar eens zien wat je hebt gekocht.' Ze probeerde de toon van de lerares terug te vinden en stond op om aan te geven dat zij de leiding had.

Reinier zette zijn halfvolle glas op een onderzetter op de glanzende kersenhouten tafel en volgde haar voorbeeld. Ze liep achter hem aan op de trap, waar haar voeten wegzakten in het zware tapijt. De gang was breed en veel lichter dan de gang beneden. Ze telde zes deuren. Hij liep door tot de achterste en liet haar voorgaan naar binnen. Ze werd getroffen door de enorme ruimte met opnieuw wanden vol boeken, een bureau voor het raam en een bed met een donkerrode sprei. Het leek niet op de slaapkamer van een jongeman van negentien jaar.

'Geweldig!' zei ze en liep op de boekenkast toe. Hij volgde, stond vlak bij haar. Ze was zich er bijna hinderlijk van bewust. Met snelle bewegingen trok hij een aantal boeken uit de kast. 'De verzamelde werken van Schiller.' Zijn stem klonk trots. 'Wat zeg je daarvan?'

Ze staarde naar de letters op de vijf banden. Hij hield ze vast of het heilige boeken waren. Ze zag hoe zijn vinger bijna liefdevol over de letters gleed. 'Voor weinig geld gekocht in een antiquariaat in Zwitserland. Ga maar zitten; dan kun je ze doorbladeren.'

Ze liet zich zakken op de enige makkelijke stoel die de kamer rijk was. Hij legde de boeken voorzichtig op haar schoot.

'Van alles staat erin. Zijn gedichten, historische brieven, drama. Kijk ze maar eens rustig door. Ik zet ondertussen een cd op. Heb je voorkeur?'

'Welnee. Ik heb bovendien geen idee wat voor muziek je hebt.'

'Houd je van Bizet?'

Opnieuw was er dat gevoel van bevreemding, maar ze liet het niet merken. 'Bizet is prima,' zei ze.

Ze bladerde voorzichtig, voelde zich te ongemakkelijk om er werkelijk van te genieten, maar probeerde toch enthousiasme voor te wenden omwille van hem. Op de achtergrond klonk de ouverture uit de orkestsuite 'L'Arlésienne' op.

Ze sloeg een bladzijde om. 'De geschiedenis van Wilhelm Tell,' zei ze, en hij ging op zijn hurken bij haar zitten. Zijn arm rustte op haar been als hij haar op iets wees. Ze probeerde haar been onopvallend zo te verzetten dat hij zijn arm moest terugtrekken. Het lukte haar niet. De geur van zijn aftershave drong door in haar neusgaten, een dure mannelijke geur. Ze probeerde haar zintuigen af te sluiten.

'Ik ben blij dat je er bent,' hoorde ze hem zeggen. 'Gisteren voelde ik me afgewezen. Ik was bang dat ik je kwijt zou zijn.'

'Wat een vreemde opmerking,' merkte ze op. 'Je begreep toch wel wat ik bedoelde.'

'Jij bent de enige die naar me luistert. Gisteren voelde ik me zo alleen.'

'Zo heb ik dat niet bedoeld. Het spijt me als je het zo hebt aangevoeld.'

'Ik heb altijd een beetje het idee dat je mijn moeder bent. Vind je dat raar?'

'Je hebt zelf een moeder.' Weer was er dat ongemakkelijke gevoel.

'Ik heb geen moeder die van me houdt. Jij bent de moeder die van me houdt.'

Ze zweeg. Haar gedachten werkten koortsachtig op zoek naar een weerwoord.

'Je houdt toch wel van me?' Hij keek naar haar op. De toon waarmee hij de vraag op haar had afgevuurd, was dwingend. Op een of andere manier leek het onmogelijk nu te zeggen dat ze niet van hem hield. Bovendien was ze toch erg op hem gesteld? Was daar iets verkeerd aan? Ze was hem de afgelopen tijd een beetje als een zoon gaan zien. Daarbij was hij de leerling waarvan iedere leraar droomde.

'Natuurlijk houd ik van je,' zei ze en ze klapte het boek dicht. 'Je kunt het inderdaad wel vergelijken met de gevoelens van een moeder voor haar zoon. Misschien komt het doordat je een beetje op me lijkt. We delen dezelfde interesses.'

Hij nam het boek van haar over, legde het naast zich neer en bleef op zijn knieën bij haar zitten. 'Ik vind het altijd zo fijn bij je te zijn. We kunnen samen zo goed praten.'

'Het is ook wonderbaarlijk hoeveel jij weet van Duitse literatuur.'

'Het is mijn grote liefde.' Hij glimlachte en ging rechtop staan. Buiten stopte een auto, maar het adagietto uit 'L'Arlésienne' overstemde het geluid van de motor, en ze ging te zeer op in het gesprek om het dichtklappen van een portier tot zich te laten doordringen. 'Je kunt je niet voorstellen hoe heerlijk het is iemand te vinden met wie je dat kunt delen.' Hij legde zijn handen op haar schouder en boog zijn gezicht heel dicht naar het hare. Hij lachte. 'Je kunt het je echt niet voorstellen.'

Wanhopig probeerde ze weer in haar rol van docente te kruipen. 'Gedraag je een beetje.'

Hij lachte opnieuw. Ze wilde hem afweren, maar hij was sneller. Zijn lippen raakten de hare. 'Bedankt voor de tijd die je me hebt gegeven. Juist nu ben ik zo blij met je.'

Ze probeerde haar gezicht af te wenden. 'Houd hiermee op.'

Hij leek haar niet te horen. Zijn handen liefkoosden haar gezicht. 'Ik ben altijd blij bij je te zijn.'

'Haal je niets in je hoofd. Ik mag je graag, maar dit moet je niet doen.'

Opnieuw kwam zijn gezicht heel dicht bij het hare. Ze wist zich los te maken uit zijn greep en stond op. 'Doe niet zo idioot! Wat denk je wel?' Ze hijgde van agitatie.

'Waarom probeer je te ontkennen wat je voor me voelt?' Zijn heldere blauwe ogen fixeerden de hare, maar ze las er niet langer onschuld in.

'Je bent me zo dierbaar,' ging hij door. 'Waarom mag ik je dat niet laten weten? Omdat ik zoveel jonger ben? Wat heeft leeftijd nou helemaal met gevoel te maken?'

Beneden klonken voetstappen op het parket. Dat geluid drong nu wel door tot haar verwarde brein, dat streed tussen medelijden en angst. 'Er is iemand beneden.'

Met een paar stappen was hij bij het raam. 'Shit! Mijn vader is thuis.' Tegelijkertijd kwamen de voetstappen naar de gang. Ze hoorde hoe ze de eerste traptree namen en onherroepelijk naderden. 'Reinier? Ben je thuis, jongen?'

Ze zat als een rat in de val en wist niet anders te doen dan weer in de stoel te gaan zitten en een van de boeken op te pakken die nog naast haar op de grond lagen. Reinier stond midden in de kamer, zijn handen in de zakken van zijn jeans geduwd. De deur werd geopend; er stapte een grijzende man binnen. Ze vroeg zich af hoeveel ouder hij was dan zij. 'Reinier, was jij vandaag niet naar ...'

Hij onderbrak zijn vraag, staarde naar haar en alles wat hij zag leek zich op dat moment tegen haar te keren. 'Mag ik vragen wat u hier doet?'

Ze stond op, legde het boek op tafel, wilde zelfbewust overkomen, maar de schuld stond op haar gezicht te lezen. Ze wist het zeker. Ze hoorde het ook in haar stem. 'U bent de vader van Reinier?'

'Dit is Yvonne Fynvandraadt,' hoorde ze Reinier nu zeggen. Ze vroeg zich af waarom hij haar bij de voornaam noemde. Op de achtergrond draaide nu het intermezzo. Ze probeerde zich op de muziek te concentreren en keek naar de man tegenover haar, wiens ogen ook blauw waren, maar minder helder dan die van Reinier. Hij was langer dan zijn zoon, was gekleed in een lichtgrijs maatkostuum en leek nu de hele kamer met zijn aanwezigheid te vullen. Onderzoekend boorde zijn blik zich in de hare. Ze moest erg haar best doen om haar ogen niet neer te slaan.

Reinier ging verder. 'Zij is de beste lerares die ik ooit heb gehad. Ze is zelfs meer dan een lerares.' De manier waarop hij het zei, beviel haar niet. Ze wilde er iets tegen inbrengen, rustig glimlachend alsof ze de situatie onder controle had, maar vader De Rooi had zijn conclusies al getrokken. 'Ik kan me voorstellen dat mevrouw Fynvandraadt een goede lerares is. Als de lessen zich tot de slaapkamer uitstrekken, moet ze wel hart voor haar leerlingen hebben. Zo'n lerares had mijn leerprestaties vroeger waarschijnlijk ook aanmerkelijk verhoogd.'

'Het is niet wat u denkt,' merkte ze op, en meteen wist ze dat het de verkeerde woorden waren, dat ze het anders had moeten zeggen.

Een spottende glimlach krulde zich om de mond van Reiniers vader. 'U hebt geen idee wat ik denk waarschijnlijk.' Hij zweeg en leek nu een reactie van haar te verwachten. Ze voelde zich een leerling die straf kreeg, klein en onhandig onder zijn spot. 'Nou ja, ik kan me voorstellen dat u meent dat er meer aan de hand moet zijn als een lerares een leerling thuis opzoekt.'

'Op zijn slaapkamer,' verbeterde hij haar en wachtte opnieuw.

'Reinier is een bijzondere leerling. Ik geef Duits, en ik moet u bekennen dat ik erg geniet van zijn leergierigheid.'

'Misschien moeten we zijn wiskundeleraar ook eens op de slaapkamer uitnodigen, want zijn resultaten voor de exacte kant van het leerpakket zijn aanzienlijk minder bevredigend.'

'U maakt mijn aanwezigheid met uw woorden vulgair,' zei ze nu verontwaardigd.

'Het is fantastisch uw woede te zien. Weet u hoe dat eruitziet? Het ziet eruit als de verontwaardiging van een vrouw die zich betrapt weet en zich daaruit probeert te redden.'

'Met u valt niet te praten.'

'Ik wil u niet meer in de buurt van mijn zoon zien.'

Heel even wierp ze een blik op Reinier, die met zijn handen in de zakken het gesprek volgde, blijkbaar geenszins van plan haar te hulp te schieten. Hij glimlachte toen hij haar blik onderschepte. Ze voelde zich verraden.

'U hoeft niet bang te zijn dat ik hier nog een voet over de drempel zet,' probeerde ze toch nog waardig op te merken.

'Ik denk dat ik contact zoek met de rector van de school om te vragen of hij ervoor wil zorgen dat mijn zoon geen les meer van u krijgt.' Hij deed een stap opzij om haar door te laten. 'Alstublieft, doet u dat niet,' wilde ze hem smeken, maar toen ze naar zijn gezicht keek, zei ze alleen: 'Als u zich daar prettiger bij voelt, moet u dat maar doen.'

Met haar hoofd omhoog liep ze langs hem heen, de trap af, naar de achterdeur. Zijn voetstappen volgden.

'Ik neem het u kwalijk dat u van de situatie gebruikmaakt,' hoorde ze hem achter zich zeggen. Ze reageerde niet.

'Reinier is kwetsbaar, en u reageert uw perversiteiten op hem af.' Zijn woorden hakten op haar in, maar ze bleef zwijgen. Niet één keer keek ze hem meer aan, opende de buitendeur en liep naar haar auto. Ze wist hem in de deuropening toen ze wegreed, en toen ze de auto de bocht om draaide, voelde ze zich een geslagen hond.

17

'Uw zoon wordt gepest?' Menno tuurde uit het raam en volgde met zijn blik een Vlaamse gaai die schreeuwend in een eikenboom vloog.

'Ik heb al diverse keren geprobeerd er met zijn mentor over te praten, maar die geeft steeds niet thuis,' klonk de stem aan de andere kant van de telefoonlijn geagiteerd.

'In welke klas zit uw zoon?' Hij keek of er nog ergens een vrouwtjesgaai vloog en ontdekte haar even verderop. Het zou niet zo heel lang meer duren of de grond zou met eikels bezaaid zijn. Op woensdagmiddag werd het grasveld voor de school dan bevolkt door moeders die met hun kinderen eikels zochten. Vroeger had Yvonne dat ook samen met Constantijn gedaan. Onbewust glimlachte hij om dat 'vroeger'. Hij leek wel een beetje op zijn zoon, die het ook onbekommerd over 'vroeger' had, met de dertien jaren die hij sinds kort telde.

'Kunt u precies uitleggen wat uw zoon aan pesterijen ondervindt?' wilde hij weten. 'Heeft hij er misschien ook namen bij genoemd?'

'Hij wil helemaal niet dat ik erover bel. Hij schaamt zich en is bang dat ze er in de klas achter zullen komen dat er door mij over gebeld is. Waarschijnlijk zullen de pesterijen dan nog toenemen, denkt u ook niet?'

'We proberen dergelijke zaken altijd discreet aan te pakken,' probeerde hij de vrouw gerust te stellen.

'Kinderen kunnen zo hard zijn onder elkaar,' merkte ze op. Hij kreeg de neiging een zucht te slaken, maar wist die te onderdrukken. 'We willen dat kinderen zich op onze school op hun gemak voelen. Daarom hecht ik er veel waarde aan meer informatie van u te krijgen. Kent u de naam van zijn mentor?'

'Meneer Heerenga,' wist de vrouw. 'Weet u zeker dat u het wel discreet aanpakt?'

'Uiteraard. Kunt u wat specifieker zijn over de vorm van het pesten? Wordt uw zoon buitengesloten of op een andere manier getreiterd?'

'Hij wordt elke morgen opgewacht. Ze proberen zijn tas te pakken te krijgen en gooien zijn schoolboeken over het plein. Ze schelden hem uit en laten hem links liggen.'

Schreeuwend maakte de Vlaamse gaai dat hij weg kwam toen een paar jongens langs de boom renden die hij als rustplaats had gekozen. Het vrouwtje volgde.

'Kent u namen van de jongens die hem pesten?'

'Volgens mijn zoon gaat het om het grootste deel van de klas. Er zijn ook meisjes bij. Die kunnen ook gemeen zijn.'

'Ik ga met meneer Heerenga praten,' beloofde hij. 'Ik wil precies weten wat er aan de hand is. Daarna wil ik een gesprek met meneer Heerenga en uw zoon.'

'Ik heb liever niet dat hij weet dat ik gebeld heb.'

'Dan kan ik waarschijnlijk niet veel voor u doen. U moet me vertrouwen als u wilt dat ik u hierbij help. Ook mij is er veel aan gelegen dat dit op een goede manier wordt opgelost. Uw zoon kan het er eerst misschien niet mee eens zijn, maar het gesprek dat we met z'n drieën zullen hebben, zal buiten medeweten van de rest van de klas plaatsvinden. Op grond van dat gesprek zal ik uiteindelijk maatregelen nemen.'

'Ik durf het toch niet aan.' Achter het matglazen raam naast de deur van zijn kamer zag hij een silhouet opdoemen. Hij hoorde een klop op de deur en zag dat ze wachtte, Aimée.

'In dat geval kan ik niets voor u doen, en dat vind ik jammer,' zei hij.

Waarschijnlijk hoorde Aimée zijn stem. Hij zag dat ze een eindje naar achter liep en nu bij het raam aan de overzijde van de gang stond. Hij kon zien dat ze het zwarte rokje met de kleine witte bloemen droeg dat zo soepel om haar gebruinde benen bewoog. Daarop droeg ze een nauw aansluitend zwart shirt met halflange mouwen. Hij had laatst gezegd dat hij de schoenen zo mooi vond die ze daaronder droeg. Zwarte, open schoenen met een bandje over de wreef.

'Zal ik met u afspreken dat ik het met meneer Heerenga overleg? Ik wil dat hij goed in de gaten houdt wat er in zijn klas gebeurt.'

'Meneer Heerenga is niet zo tactisch. Ik ben bang dat hij mijn zoon er toch op zal aanspreken of dat hij zal laten merken dat hij ervan weet.'

'In dat gesprek zal ik hem dringend aanraden dat niet te doen.'

'U hebt daar ook geen controle op.'

Ze verwijderde zich. Hij zag haar niet meer.

'Dan kan ik niets voor u doen,' zei hij geërgerd en gehaast.

'Zo is dat nou altijd,' klonk het klagend aan de andere kant. 'Uiteindelijk gebeurt er niets.'

Hij besloot er niet op in te gaan. 'In dit geval is de keuze aan u,' zei hij kort. 'Ik hoop dat het met uw zoon gauw weer beter zal gaan.'

'Dat gaat niet vanzelf ...' hield de vrouw nog aan.

'Het ligt nu bij u,' zei hij weer. 'Als ik stappen kan ondernemen, mag u me bellen. Dag, mevrouw Bos.'

Hij drukte de toets in die een einde maakte aan het gesprek. Met een paar stappen stond hij nu bij de deur. Hij ontdekte haar een eindje verderop in de gang, net buiten zijn gezichtsveld.

'Je was bang dat ik weg was,' zei ze plagend. Langzaam kwam ze op hem toe; de rok deinde om haar benen. Hij keek naar de schoenen die hij zo mooi vond en zag dat haar teennagels donkerrood gelakt waren.

Er was niemand anders in de gang, alleen hij en zij.

'Kom binnen,' zei hij. Hij strekte zijn hand uit, vatte de hare en trok haar naar zich toe zodra hij de deur achter hen had gesloten. Hij had ertegen gevochten. Maandenlang had hij zich voorgehouden dat dit niet kon, dat hij afstand moest houden, dat hij wijs en verstandig moest zijn. Het moeizame telefoongesprek leek hem van zijn laatste restje weerstand te hebben beroofd. Hij had haar nodig. Hij was verloren.

Yvonne reed in de richting van huis en draaide toen van de weg af. Het was onmogelijk naar huis te gaan, waar Constantijn zou zijn, waar het niet lang zou duren voordat ook Menno er was. Haar hoofd zat te vol om gewoon te doen. Ze voelde zich belachelijk, vernederd, en alles wat ze de laatste tijd tegenover Reinier had gedaan, leek haar plotseling heel erg fout.

Ze keerde de auto, reed terug naar Zwolle en parkeerde even later voor het huis van Jacqueline en Floris. Het huis was niet groot en stond op de hoek van een rijtje vooroorlogse woningen. Het raam aan de voorkant grensde aan het trottoir. Achter was een kleine tuin, die Floris bijna pijnlijk netjes onderhield. Een paar jaar geleden had hij de schuur opgeknapt en geschikt gemaakt als atelier voor Jacqueline. Er speelden kinderen in de straat. Een klein meisje reed op een driewieler bijna over haar tenen.

Nu ze hier stond, vroeg ze zich af wat ze bij Jacqueline dacht te vinden, maar ze wist ook niet waar ze anders naar toe zou moeten. Daarom stapte ze uit, wierp een blik in de kamer, die uitgestorven leek, en liep aarzelend om het huis heen, waar zich een deur in de zijmuur bevond die toegang gaf tot de tuin. Op dit tijdstip was Jacqueline meestal in haar atelier te vinden, en het was bekend dat ze daar de bel niet hoorde. Soms was ook die zij-ingang afgesloten, maar nu gaf de deur mee. Tussen de bloeiende planten door had Floris een pad van natuursteen aangelegd, dat zich even verderop splitste. Het smalste pad leidde naar het atelier, het bredere kwam op het kleine terras uit. Door het grote raam van het atelier zag ze haar zusje staan, ingespannen turend naar het doek voor haar. Ze voelde zich een indringer en weifelde opnieuw of ze terug zou gaan, toen Jacquelines blik plotseling naar buiten gleed. Met een paar stappen stond ze in de deuropening. 'Je komt als geroepen. Kom even verder.'

Ze droeg een wit katoenen hemdje dat aan de voorkant voorzien was van opvallende nestelgaten, waardoor kruislings een wit koord was geregen. Op blote voeten liep ze voor Yvonne uit, in een witte kuitbroek die onder haar knieën nauw aansloot door middel van twee drukknopen. Ze pakte Yvonnes hand. 'Wat vind je ervan?'

Yvonne staarde naar het schilderij. 'Mamma,' zei ze zacht, terwijl ze staarde naar het portret dat haar moeder voorstelde en toch ook weer niet.

'Het is niet goed,' hoorde ze haar zusje zeggen. 'Ik zie dat het niet goed is, maar kan niet vinden waar het probleem precies zit.'

'Haar ogen kloppen niet.' Ze deed een stap naar achteren, hield haar hoofd schuin en keek nog eens. 'Ja, het zijn echt haar ogen.'

'Ik meende dat het misschien te modern was, dat zoiets toch niet bij mamma past.'

'Mamma zou het mooi gevonden hebben, die kleuren en dat vage. Haar ogen begonnen altijd te sprankelen wanneer ze iets mooi vond, of gewoon wanneer ze je iets vertelde. Die levendigheid in haar ogen mis ik. Ik weet niet of het mogelijk is daar wat glans in te brengen.'

'Dat zou kunnen,' zei Jacqueline alsof ze nog niet wilde aannemen dat het in zo'n detail zou kunnen zitten. 'Vertel me eens wat je hier komt doen.'

'Ik vroeg me af of je de rosé koud hebt staan.'

'Dat moet ik geloven?'

'Je moet het zelf weten.' Warmte prikte op haar huid. Ze trok haar korte rozerode jasje uit en vouwde het om haar onderarm. 'Ik vind het wel weer voor rosé.'

'Ik heb een fles in de koelkast en ik vind het prima samen een glaasje te drinken, maar jij bent niet het type dat op een doordeweekse dag bij mij een glas wijn wil komen drinken.'

'Je vergist je soms in mensen.'

'Ik vergis me niet in mijn grote zus, maar ik zal niets meer vragen. Ga lekker buiten zitten. Ik schenk ons een glas in.'

Ze liep het atelier uit, het huis in. Yvonne liep door de kleine tuin en aarzelde nog om te gaan zitten. Op het terras maakten mussen ruzie met elkaar. De zon was grotendeels achter het huis verdwenen, maar de lome warmte was blijven hangen. Die warmte deed haar verlangen naar Frankrijk, naar de zee aan haar voeten, naar onbezorgde dagen. Ze zou de weken na de vakantie over willen doen met de wetenschap van nu. Dan zou ze Reinier direct gemaild hebben dat ze niet wilde dat hij haar benaderde via haar computer. Ze zou meteen afstand hebben gehouden, zodat ze daar door haar collega's niet op geattendeerd hoefde te worden. Ze zou vanmorgen hebben geweigerd naar zijn huis te rijden. In de tuin van Yvonne en Floris raakten de gebeurtenissen wat op afstand. Haar hand gleed over een kunstwerk van marmer dat Floris voor de laatste verjaardag van Jacqueline had gekocht. Zelfs Menno had er zijn waardering over geuit, en ze had geweten dat het een erg prijzig kunstwerk was geweest. Het donkergrijze marmer voelde koel en glad aan onder haar vingers. Een jonge vrouw zat achteloos, met haar rechterbeen opgetrokken, op de grond, haar handen om dat been gevouwen. Haar jurk, die een schouder vrijliet, leek in soepele vormen naar onder te zijn gegleden en onthulde veel prachtig been.

'Zo zouden we er allemaal uit willen zien,' zei Jacqueline. Ze stond op het terras met twee glazen in haar hand. 'Droombeeld van een vrouw, voor niemand weggelegd.'

'Floris is er niet?' wilde Yvonne nu weten. 'Ik zag zijn auto in ieder geval niet voor het huis staan.'

'Nee, Floris is naar een beurs. Hij heeft plannen om met een vriend van hem een kunstcafé te openen.'

Hoeveel plannen had Floris in de loop van zijn leven al niet gehad? Yvonne slikte de woorden in. 'Wat een goed idee,' zei ze. 'Heeft hij al een pand op het oog? En hoe denkt hij dat te gaan doen?'

Ze ging zitten terwijl Jacqueline enthousiast de voornemens van Floris uiteenzette. 'Het is de bedoeling dat het een gezellig, klein café wordt waar kunstenaars hun werk kunnen exposeren, maar ook collega's en clientèle kunnen ontmoeten. Floris denkt dat het een bepaald publiek zal aantrekken, en hij hoopt dat op den duur gerenommeerde kunstenaars hun weg ook zullen weten te vinden.'

'Heeft hij daarvoor geen horecadiploma's nodig of zo?' informeerde ze praktisch. Ze realiseerde zich dat ze af en toe op Menno leek, die ook meteen plannen met dit soort opmerkingen in de kiem wist te smoren.

'Die vriend heeft alle diploma's die op dit gebied nodig zijn. Hij zal de zaken van het café behartigen. De belangrijkste taak van Floris is kunstenaars te interesseren. Hij heeft binnen het artistieke milieu veel relaties. Op die manier vullen ze elkaar aan.'

Floris was de man van de twaalf ambachten en dertien ongelukken. Hij leefde met zwier, leek zich nooit ergens zorgen over te maken en verwisselde van baan zoals een ander van broek. In alles was hij de tegenhanger van Menno, zoals Yvonne de tegenpool van Jacqueline leek te zijn.

'Wanneer gaan jullie naar Scandinavië?' wilde ze nu weten, in een poging het gesprek vooral niet op haarzelf te brengen.

'Over twee dagen vertrekken we. Als het doorgaat tenminste, want als Floris vandaag zo ver is dat de plannen wat meer vorm gaan krijgen, zit het erin dat we de vakantie laten voor wat die is. Dat geld zullen we dan wel op andere manieren kunnen gebruiken.' Het was niet echt moeilijk Jacqueline af te leiden. Ze probeerde haar gedachten bij het opgewekte gebabbel van haar zusje te houden, maar de onrust in haar was te groot. Ze voelde zich vernederd, maar ook heel erg verraden door Reinier. Het voelde nu alsof hij een spelletje had gespeeld. Er was weliswaar niets gebeurd. Ze had zijn avances meteen afgewimpeld, maar het was duidelijk dat zijn vader heel andere conclusies had getrokken. Het was eveneens zonneklaar dat de schijn tegen haar was. De vader van Reinier had haar op de slaapkamer van zijn zoon aangetroffen. Zij kon beweren dat ze daar alleen was geweest om naar zijn Schillercollectie te kijken, maar als Reinier vertelde dat er meer was gebeurd, zou niemand haar geloven. Ze zuchtte. Menno had haar gewaarschuwd. Van hem hoefde ze weinig clementie te verwachten als meneer De Rooi daadwerkelijk naar de rector van haar school zou stappen. Haar onschuld was vooral onnozel geweest.

'Je luistert niet,' hoorde ze Jacqueline zeggen. 'Erger nog, je drinkt ook niet. Wat is er met je aan de hand?'

Ze wilde vertellen wat er was gebeurd. Misschien werd het minder erg als haar gedachten uitgesproken zouden worden. Toen ze naar Jacquelines gezicht keek, durfde ze niet.

'Ik ben gewoon wat vermoeid,' verklaarde ze haar afwezigheid daarom. 'Het is nog steeds warm voor de tijd van het jaar, en ik had er vandaag drukke klassen bij. Het was alsof al die kinderen nog in vakantiestemming waren.'

'Ik snap nog steeds niet hoe je het voor elkaar krijgt een stel van die koters onder de duim te houden.'

'Van onder de duim houden is geen sprake.' Ze probeerde geanimeerd te praten, alsof het haar op dit moment werkelijk interesseerde. Jacqueline moest van het idee af dat haar iets dwarszat. 'Ik houd van mijn vak en probeer dat over te brengen. De ene keer lukt dat beter dan de andere keer.'

'Het zou mijn vak niet zijn.'

'Jij hebt andere capaciteiten.'

'Menno is toch ook helemaal van het lesgeven afgestapt,' ging Jacqueline verder. 'Ik heb me hem eigenlijk nooit voor een klas met pubers kunnen voorstellen.'

'Ik denk dat hij als rector ook meer op zijn plek is.' Ze wilde helemaal niet aan Menno denken.

'Heel toevallig zag ik hem laatst nog.' Haar zus had daar blijkbaar andere ideeën over.

'Waar dan?' Het interesseerde haar niet. Ze sprak woorden die verwacht werden.

'Ik moest met Floris naar het gemeentehuis in Emmeloord omdat daar een collega van me exposeerde. Floris wees me onderweg op de auto van Menno, die bij de verkeerslichten vlak naast ons stond.'

'Daar heeft hij niets van verteld.'

'Hij zag ons ook niet, want hij was in gesprek met een dame naast hem.'

'Een dame?' Nu was haar interesse toch gewekt. 'Wat voor dame?'

'We kenden haar geen van tweeën. Ze was nog vrij jong en had kort, donker haar.'

Er ging haar een licht op. 'Dat zou Aimée kunnen zijn. Ik zou niet weten wie het anders moet zijn geweest.'

'Dus het is niet raar?'

'Waarom zou het raar moeten zijn?'

'Het gaf me een beetje een naar gevoel Menno met die vrouw in de auto te zien zitten.'

'Ze is een docente van zijn school. Ik ken haar wel. Ze is in onze vakantie nog een dagje bij ons geweest. Menno had via haar een huis in Frankrijk gehuurd, dus zo raar is dat niet,' nam ze het voor Menno op. In gedachten zag ze weer voor zich hoe hij samen met Aimée in de golven dook en plotseling een ander leek. Ze dronk haar glas wat te snel leeg en keek op haar horloge. 'Zo laat al. Het wordt tijd dat ik naar huis ga.'

'Is Constantijn al thuis?'

'Waarschijnlijk wel.'

'Vroeger zat mamma met een pot thee op ons te wachten, weet je nog?'

Ze wist het nog. Meestal voerde Jacqueline dan het hoogste woord. Ze was blij toen ze naar de middelbare school mocht, terwijl haar jongere zus nog op de lagere school zat. Af en toe was ze eerder uit school dan Jacqueline. Dan had haar moeder alle tijd om naar haar verhalen te luisteren. Gouden momenten waren dat geweest.

'Zo'n moeder zou ik willen zijn,' zei Jacqueline. 'Een moeder met tijd en een theepot, en voor mijn gevoel zou ik dat niet kunnen opbrengen.'

'Mamma had het ook druk genoeg. In de avonduren maakte ze kantoren schoon. Daarnaast deed ze vrijwilligerswerk voor de kerk, en op een gegeven moment zat ze ook nog in het bestuur van de vrouwenvereniging. Toch lukte het haar er voor ons te zijn wanneer we uit school kwamen. Ik denk dat ze daar niet eens over nadacht. De meeste vrouwen met wie ze omging, zaten thuis op de kinderen te wachten wanneer ze uit school kwamen. Daarnaast maakten ze schoon of werkten een aantal uren in een winkel, maar dat werd over het algemeen aangepast aan de schooltijden van de kinderen. Mamma deed eigenlijk gewoon wat er van haar verwacht werd.'

'Zou mamma gelukkig zijn geweest met pappa?'

'Waarom niet?'

'Ze had veel meer in haar mars dan hij. Ik heb wel eens het idee gehad dat ze zich door hem belemmerd voelde.'

'Ik nooit.'

Ze kon het niet goed hebben dat Jacqueline zo over haar ouders praatte. 'Komt pappa zondag nog?' probeerde ze van het onderwerp af te komen.

'Hij belde inderdaad vanmiddag of hij zondagmiddag mocht komen.'

Ze had het geweten. Haar vader had gelogen, en wilde achteraf zijn leugen tot waarheid maken.

'Hoe weet jij dat eigenlijk?' vroeg Jacqueline zich nu af.

'Ik ben vanmiddag ook nog even bij hem geweest. Hij had het erover dat hij zondag nog even bij jullie wilde aanwippen.'

Jacqueline hoefde de hele waarheid niet te weten. Ze stond op. 'Ik moet nu echt gaan.'

'Het was echt fijn dat je zo onverwacht kwam. Wat mij betreft, mag je dat vaker doen.'

'Wie weet.'

Jacqueline was ook opgestaan. Ze sloeg haar armen om haar oudste zus. 'Wat er ook aan de hand is, je mag het met me delen, als je wilt. Een probleem dat je deelt, weegt minder zwaar.'

'Je had het toch niet slecht gedaan als lerares,' merkte ze wat cynisch op, maar haar zus ging er niet op in. 'Voor elk probleem is een oplossing, en wat nu zwaar weegt, verliest in de loop der tijd aan gewicht.'

'Een fijne vakantie, als het ervan komt.' Ze draaide zich bruusk om en begreep haar eigen botheid niet. Ze had een hekel aan zichzelf.

18

MENNO HOORDE HET KLATEREN VAN DE DOUCHE, DIE IN DE kleine flat aan de slaapkamer grensde. Aimée zong een lied dat hij niet kende, en hij stelde zich voor hoe ze er zou staan. Hij wist nu hoe ze eruitzag zonder haar zwarte rok met de kleine witte bloemen en het glanzende shirt. Naast het bed met de gebloemde dekbedovertrek in pasteltinten lagen haar zwarte schoenen met het elegante hakje die hij zo mooi vond. Achteloos had zij ze uitgeschopt. Hij sloot zijn ogen, bleef op bed liggen met zijn handen onder zijn achterhoofd gevouwen. Hoe was het mogelijk dat een mens zichzelf zo kon verliezen, dat zijn lichaam het zo eenvoudig van zijn geest had gewonnen. Hij had gevochten, en dat had hij lang volgehouden. In Frankrijk had hij gevoeld dat zijn zorgvuldig opgebouwde afweer het beetje bij beetje had begeven. Op het moment dat ze de hoek van hun zomerhuis om was gekomen, had hij gevoeld dat hij haar gemist had, en geweten hoe lief ze hem was. Na haar vertrek was de onrust in hem gebleven. Het liefst was hij meteen weer naar huis gegaan. Zijn verlangen naar het nieuwe schooljaar was met de dag toegenomen. Hij wilde haar zien, met haar van gedachten wisselen, haar geur ruiken, meer niet. Hij was ervan overtuigd dat het onverstandig zou zijn het meer te laten worden. Had hij geen voorbeeldfunctie? Hij was degene die de problemen met de docent die iets met een leerling had, zo keurig had opgelost. Als rector van een christelijke scholengemeenschap moest hij korte metten maken met dit soort uitspattingen. Hij wist genoeg bijbelteksten op te noemen die hem daarin ondersteunden. Waar waren ze vandaag gebleven? Wat had hem bezield haar vandaag naar huis te brengen en mee naar boven te gaan? Vanaf het moment dat hij haar silhouet door het matglazen raam had zien staan, had de rede hem in de steek gelaten. Waar bleef hij nu met zijn bijbelteksten, met zijn rotsvaste geloof? Had hij gemeend dat God wel een oogje wilde dichtknijpen?

Hij stond op, hoorde hoe in de badkamer de kraan werd dichtgedraaid. Straks zou ze voor hem staan en naar hem kijken. Hij verlangde ernaar haar vast te houden, haar natte haren te ruiken, haar warmte te voelen. Hij hield van haar. Het drong in alle hevigheid tot hem door. Als ze bij hem was, voelde hij zich gelukkig. Op dit moment voelde hij zich gelukkig, en tegelijkertijd was er een diepe, donkere angst, die gevoed werd door het bewustzijn dat ze nu in staat zou zijn macht over hem uit te oefenen.

'Wil jij niet douchen?' Ze stond voor hem op blote voeten, gekleed in het soepele zwarte rokje.

'Ik ga thuis wel onder de douche.' Hij zei het stugger dan hij wilde.

'Wil je iets drinken?'

'Een glaasje water graag.'

'Water?'

Hij had een vieze smaak in zijn mond. 'Water,' herhaalde hij 'En daarna ga ik naar huis. Yvonne zal niet weten waar ik blijf.'

Het klonk alsof zijn vergadering wat uitgelopen was.

Ze liep naar de kamer. Hij volgde.

'Je mag wel gaan zitten.' Hij bleef liever staan.

'Je hebt er spijt van,' zei ze nadat ze zich in een stoel had genesteld met een glas witte wijn voor zich en haar blote voeten onder zich. Hij dronk met grote slokken uit het glas dat ze hem had aangereikt.

'Waarom zou ik er spijt van hebben?'

'Thuis wacht Yvonne. Ze is een goede vrouw. Jullie zijn alleen wat uit elkaar gegroeid. Je hebt iets gedaan wat absoluut tegen je principes is. Toen ik solliciteerde op deze school, werd ik gewaarschuwd dat jij een zeer principiële man bent. Het is moeilijk als je je eigen principes schendt.'

'Ik houd van je,' zei hij. 'Ik zou willen dat het niet zo was, maar ik houd werkelijk van je. Yvonne gaat tegenwoordig haar eigen gang. Ze heeft haar eigen leven. Ik snap nog niet waarom ze ineens zo nodig moest werken. Ik weet wel dat er daardoor veel binnen ons huwelijk is veranderd.'

'Waarom zou ze thuis moeten blijven zitten? Constantijn wordt de komende tijd alleen maar zelfstandiger. Jij hebt je werk. Wat verwacht je van haar? Dat ze thuis op je wacht totdat jij eindelijk eens belieft naar huis te komen?'

'Toen ik haar pas leerde kennen, gaf ze ook les. Ze was jong en onzeker. Ik weet nog hoe moeilijk ze het vond dat haar leerlingen veel minder enthousiast waren over de Duitse taal dan zijzelf.' Hij was er nu toch bij gaan zitten. Er verscheen een glimlach op zijn gezicht. 'Bij mij stortte ze haar hart uit. In eerste instantie vond ik haar een leuke jonge vrouw. Heel naturel, heel spontaan. Vol vuur stond ze gedichten te declameren. Daarnaast toonde ze interesse in de vakken waarin ik les gaf. Het duurde niet zo heel lang voordat ik ontdekte dat ik van haar was gaan houden. Het pijnlijke is dat ik in die tijd al verloofd was. Ik heb voor haar mijn verloving verbroken.'

Hij zweeg, en de stilte bleef tussen hen hangen. Zijn lange vingers speelden met het lege glas. 'Voor mij heeft Yvonne destijds haar baan opgezegd,' ging hij toen verder. 'We verhuisden naar Goes, waar ik als conrector werd aangesteld. Bovendien werd Constantijn in die tijd geboren. Ze klaagde eigenlijk nooit, en ik had het idee dat ze het thuis wel naar haar zin had. Misschien was het allemaal wel anders gelopen als ze gewoon thuis was gebleven.'

'Ik denk het niet,' merkte Aimée op. 'Yvonne is waarschijnlijk niet zo veel veranderd. Jij wilt de schuld van je af schuiven.' Ze verliet haar makkelijke plek en liep naar hem toe, ging op de stoelleuning zitten, drukte zijn hoofd tegen haar borst. 'Liefde laat zich niet dwingen. Gevoelens zijn lang niet altijd te begrijpen. Misschien hebben jullie nooit echt bij elkaar gepast, al meende je eerst van wel.'

Ze kuste hem zacht op zijn voorhoofd, hield hem tegen toen hij wilde gaan staan. 'Ik heb geen spijt van wat er gebeurd is, want ik houd al lang van je. Je hoeft niet bang voor me te zijn. Ik maak geen misbruik van de situatie. Niemand zal hiervan horen, en de komende tijd zul je geen last van me hebben als jij niet wilt. Kom met jezelf in het reine. De tijd zal leren of we voor elkaar bestemd zijn.'

'Jij bent nog zo jong. Ik ben een oude man, vergeleken met jou.'

'Leeftijd doet er niet toe. Je weet toch hoe ik tegenover leeftijdgenoten sta? Ik heb het vaker geprobeerd, maar met mannen als Bram verveel ik me.'

Het klonk allemaal zo logisch. Nu ze erover sprak, leek het allemaal minder zwaar, minder zondig. Hij wist zeker dat ze zou lachen als hij over zonde begon. Misschien had hij de lat altijd wat te hoog gelegd. Niet alleen ten opzichte van anderen, maar net zo goed van zichzelf.

'Dank je dat je me de ruimte wilt geven.' Hij drukte haar heel dicht tegen zich aan en wenste dat hij hier blijven kon.

Constantijn zat met een klasgenoot op zijn kamer toen ze thuiskwam. Ze hoorde luide muziek toen ze uit de auto stapte, maar besloot niet in te grijpen. Het lampje van de telefoon knipperde niet. Dat stelde haar gerust. Er was niet gebeld. Ze was ervan overtuigd dat de rector van haar school meteen contact met haar zou hebben gezocht als de vader van Reinier hem werkelijk op de hoogte had gesteld. Ze haalde haar mobiele telefoon uit haar tas om op tafel te leggen en zag dat ze een sms'je had gekregen. Ze opende het bericht en las. 'Ik wil met je praten. Liefs, Reinier.'

Terwijl ze het berichtje sloot, kwam er opnieuw een sms'je binnen van hetzelfde nummer. 'Laat alsjeblieft van je horen.' Ze drukte de telefoon uit.

De middag was al een eind gevorderd. Ze informeerde of de klasgenoot van Constantijn wilde blijven eten en schilde een paar extra aardappels. De telefoon ging. In de nummermelder ontdekte ze het nummer van Reinier. Ze trok de stekker uit de telefoon, voelde haar hart zwaar bonken. Vlak voor het avondeten verscheen Menno. Hij kondigde aan dat hij het warm had en eerst wilde douchen.

'Als je met een minuut of twintig maar klaar bent,' zei ze. 'Ik ga de tafel dekken.'

Hij protesteerde niet. Zij ging voor het raam staan en keek naar de tuin, naar de herfstasters, de hortensia's, de kippen die in de ren scharrelden. Nog even, dan zouden de bomen hun bladeren verliezen, zou de tuin al zijn kleur kwijtraken op weg naar de winter. Nu al rook ze 's morgens de pittige herfstlucht, hing de nevel zwaar boven de landerijen. De winter wierp zijn schaduwen vooruit.

Ze dekte de tafel, schudde de aardappels op, maakte een dressing voor de sla en bakte de biefstuk tartaar. Voor Menno waren er vanavond geen twee, zoals gebruikelijk. Rogier Hamstra zou de tweede opeten. Ze vond het prettig dat de jongen zo vaak kwam. Ze wilde hem met open armen ontvangen, zoals dat bij haar thuis vroeger met haar vriendinnen ook was gebeurd. Haar moeder kookte altijd te veel. Zo was er altijd genoeg voor een extra eter.

In haar vertrouwde omgeving verdwenen de gebeurtenissen van de afgelopen dag nu naar de achtergrond. Ze kreeg steeds meer het idee dat ze het niet werkelijk had meegemaakt, maar dat ze gedroomd had. Een afschuwelijke droom, die de hele dag zijn nawerking op haar had. Menno verscheen fris gedoucht beneden. Hij kuste haar. 'Dat had ik nog niet gedaan.' Hij had wel drie keer zijn tanden gepoetst, zijn gezicht gewassen, met zeep, die hij normaal nooit gebruikte. Zijn huid voelde strak aan. Op verzoek van Yvonne riep hij de jongens naar beneden. Aan tafel gaf hij geen commentaar op de biefstukjes tartaar die naar zijn zin iets te doorbakken waren. Wel maakte hij grapjes over het feit dat Rogier zich tegoeddeed aan zijn stukje vlees, informeerde bij Constantijn naar zijn belevenissen op school.

Zij nodigde Rogier uit om in de herfstvakantie een keer te blijven slapen om dan de volgende dag mee te gaan naar een pretpark dat hij samen met Constantijn mocht uitzoeken. Menno stelde als voorwaarde dat er wel een hoge achtbaan moest zijn. Ze verbaasde zich over zijn gezelligheid, over de vrolijkheid die aan tafel heerste. Het was bijna niet-echt.

Na het eten fietste Constantijn een eindje met Rogier op, die naar huis ging. Menno wilde de auto wassen. Ze hoorde hem buiten neuriën toen ze de vaatwasser inpakte. Daarna zette ze zich achter haar computer. Ze had een hele reeks mail binnengekregen en zag meteen dat er ook een bericht van Reinier bij was. Het zijne opende ze als eerste.

'Lieve Yvonne,
Het spijt me erg wat er vandaag is gebeurd. Ik wil mijn excuus aanbieden voor het gedrag van mijn vader. Ik kan me voorstellen dat het er niet beter op is geworden, en kan het zelfs begrijpen als je nu niets meer met me te maken wilt hebben. Mijn vader heeft de rector niet gebeld, en ik denk dat het bij dreigementen blijft. Zo gaat dat meestal bij mijn vader.
Ik zou toch nog heel graag een keer met je praten. We moeten onze houding bepalen, want ik zal de komende tijd toch weer bij je in de klas moeten zitten. Ik vind het allemaal erg moeilijk, voel veel verdriet, maar weet dat het niet anders kan. Toch wil ik je nog vragen of je alsjeblieft een keer met me wilt afspreken, ergens buiten de stad, waar niemand ons kent. Ik wil in alle rust met je praten. Misschien dat ik dan beter kan omgaan met de gevoelens die ik nu heb. Het spijt me dat het allemaal zo gelopen is. Wil je alsjeblieft terugmailen en een afspraak maken? Ik smeek het je.
Reinier.'

Ze sloot de mail, voelde de onrust terugkomen, las de andere berichten die ze had ontvangen, beantwoordde wat beantwoord moest worden en opende toen opnieuw het mailtje van Reinier. Ze las en herlas zijn woorden en wist dat ze niet onder een ontmoeting met hem uit zou kunnen komen. Reinier had gelijk. Hij zat bij haar in de klas en zou dit jaar eindexamen moeten doen. Daaronder viel ook een mondeling tentamen, dat alleen zij kon afnemen. Er was geen mogelijkheid om dat op de schouders van een ander af te schuiven. Voor de komende tijd was het van belang dat ze een manier zouden vinden waarop ze tamelijk normaal met elkaar zouden kunnen omgaan. Het moest niet zo zijn dat ze er elke keer tegen op zou zien hem in de klas te krijgen. Een gesprek kon duidelijkheid verschaffen. Ze zou moeten aangeven dat ze niet gediend was van zijn liefdesverklaringen. Misschien moest de jongen hulp zoeken. Hij had problemen thuis en probeerde die het hoofd te bieden door zich te verliezen in romantische dromen. Zij had dat niet onderkend. Nu moest ze dat goed aanpakken. Ze rechtte haar rug, dacht even na en schreef toen:

'Beste Reinier,
Het lijkt me een goed idee de problemen die gerezen zijn, uit te praten. Ik wil dit graag zo snel mogelijk achter de rug hebben. Zullen we morgen uit school afspreken? Kun je tegen drie uur bij het station staan? Ik pik je daar op. We kunnen ter plekke overleggen waar we naartoe gaan.
Bovendien wil ik dat je me nu met rust laat, dus geen sms'jes of telefoontjes meer. In het geval dat je me toch benadert, vervalt de afspraak van morgen.
Hartelijke groet,
Yvonne Fynvandraadt.'

Goedkeurend las ze de tekst nog eens. Er stond niets te veel en niets te weinig in. Ze had een goede afstandelijke toon gevonden. Het zou hem nu duidelijk zijn dat hij zich niet te veel moest voorstellen van hun ontmoeting.
Met een druk op de muisknop verstuurde ze haar bericht naar zijn computer.

19

DE SCHOOLDAG WAS VOORBIJ. MET TRAGE VOETEN LIEP ZE IN DE RICH-
ting van haar auto. Langzaam nam de spanning, die met het vorderen van de uren eerst was afgenomen, weer toe. Vanmorgen had ze
zich zenuwachtig naar school begeven, bang voor wat haar te wachten stond. Ze had nauwelijks durven geloven dat haar collega's van
niets wisten. Reiniers vader leek het inderdaad alleen bij dreigementen te hebben gehouden. De druk was steeds meer geweken.
Ook in de klas liet niemand blijken ook maar ergens van op de
hoogte te zijn. Nu waren alle uren achter de rug. Straks zou ze
Reinier moeten oppikken, en ze had al spijt van haar toezegging.
Plotseling zag ze huizenhoog tegen een ontmoeting op. Ze verlangde naar het moment dat het achter de rug zou zijn, dat het niet
meer dan een nachtmerrie zou blijken. Haar maag voelde zwaar
aan.
Ze reed de parkeerplaats af, groette een paar leerlingen, haalde
Bettine in die op haar fiets onderweg naar huis was. Vanuit de
nieuwbouwwijk waar de school lag, reed ze over de rondweg en
sloeg vervolgens af in de richting van het centrum, op weg naar het
station. Ze transpireerde, zette haar raam open en volgde de weg.
Het ergerde haar dat ze hem voor de deuren van de stationshal zag
staan, waardoor ze zich genoodzaakt zag haar auto bij een parkeer-
meter neer te zetten en terug te lopen om hem te waarschuwen. Hij
had haar al ontdekt. Halverwege liep hij haar tegemoet. Hij droeg
hetzelfde shirt van een paar dagen ervoor. 'I'm brilliant,' schitterde
op het zwart.
'Je had beter bij het theater aan de overkant kunnen gaan staan,'
merkte ze verwijtend op. Ze keek hem niet aan en liep naast hem
naar de auto.
'Je had aangegeven dat ik bij het station moest wachten,' bracht hij
ertegen in. 'Ik was bang dat je me niet zou zien als ik bij het theater zou staan.'
Ze zweeg, wachtte tot hij naast haar in de auto stapte en startte de

motor. De vanzelfsprekendheid waarmee ze altijd met elkaar waren omgegaan, was ineens verdwenen. Ze zocht naar veilige gespreksonderwerpen terwijl ze de auto door het verkeer loodste.

'Wat is nu het verschil tussen een briljant en een diamant?' informeerde ze na enige tijd, toen de stilte haar tot wanhoop dreef.

'Hoe bedoel je?'

Ze wees naar zijn shirt. 'Er staat een diamant op, en daaronder staat dat je briljant bent.' Het was een onzinnig gespreksonderwerp op dit moment, maar ze ging toch door. 'Ik heb geen verstand van diamanten of briljanten, en dat zal wel komen doordat ik ze niet bezit.'

'Mijn moeder heeft ze.' Hij haalde diep adem. 'Ik heb het shirt van haar gekregen. Ze werkt in een juwelierszaak, een gerenommeerde, zoals ze zelf zegt. Via de zaak kon ze dit shirt bestellen. Een diamant kan op verschillende manieren geslepen worden. Briljant is feitelijk een slijpvorm. Eigenlijk is het incorrect over een briljant spreken. Je zou het over een briljant geslepen diamant moeten hebben, maar een saffier kan ook briljant geslepen zijn. Een briljant is een slijpvorm met facetten van onderen en van boven.'

'Jij bent dus briljant geslepen,' probeerde ze zijn ernst met een grapje wat weg te nemen.

'Juist niet, anders had ik meer geschitterd. Ik ben blijven steken bij de ruwe diamant. Ieder normaal mens zal eraan voorbijlopen, omdat een diamant er dan als een soort kiezelsteen uitziet. Alleen kenners zien de waarde, alleen vakmensen kunnen de diamant optimaal laten schitteren.'

Ze had hem bewonderd vanwege zijn scherpzinnige opmerkingen. Nu voelde ze alleen irritatie. Alles aan hem leek haar plotseling te irriteren. Zijn handen, met de korte nagels, de manier waarop hij zijn spijkerjasje op zijn schoot had gelegd, de moedervlek aan de zijkant van zijn hals. De stilte keerde terug. Vanuit haar ooghoek zag ze dat hij naar buiten keek. Ze haalde fietsers in; een taxi schoot net voor haar de weg op.

'Waar wil je naartoe?' wilde hij nu weten.

'Ik weet niet hoeveel tijd je hebt?'

'De hele middag. Mijn vader is voorlopig niet thuis, en mijn moeder zit nog steeds bij haar minnaar.'

'Dat beweerde je gisteren ook.'

'Mijn vader moest onverwachts iets van huis halen. Ik weet dat je er boos over bent, maar ik kon het echt niet helpen.'

Ze reed haar auto naar de snelweg, moest er kort daarna weer af, kwam nu op een provinciale weg terecht, omgeven door bossen. Een eindje verderop zette ze haar auto neer. 'Wat denk je hiervan?'

Hij haalde zijn schouders op. 'Het maakt me niets uit. Ik ben hier niet om het natuurschoon te bewonderen.'

Ze vroeg zich ineens af wat ze hem moest zeggen. Hij liep voor haar uit het bospad op, terwijl zij de auto op slot draaide. Ze versnelde haar pas totdat ze naast hem liep.

'Ik vond het erg vervelend gisteren,' opende zij het gesprek.

'Dat was het ook. Misschien was het minder erg als je mijn vader goed had gekend. Je had dan geweten dat hij altijd vrij heftig reageert, maar uiteindelijk het meeste weer intrekt.'

'Je hebt me op geen enkele manier geholpen. Je stond er maar een beetje bij te kijken, terwijl je toch op z'n minst had kunnen zeggen waarom ik op jouw kamer was.'

'Ik ken mijn vader wel.' Hij ontweek haar blik. 'Ik weet dat het op zo'n moment geen zin heeft er iets tegen in te brengen. Hij luistert toch niet.'

Ze stond stil. De geur van het bos drong tot diep in haar neusgaten door. Hij hield ook in, keek verwachtingsvol naar haar op. Een merel ritselde tussen de takken op de grond. Door de boomkruinen heen blonk het blauw van de gulle najaarshemel. Ze keek langs hem heen naar het pad, waaraan geen einde leek te komen. 'Ik heb gemerkt dat jij je verkeerde gedachten in je hoofd hebt gehaald.'

'Hoe bedoel je?'

'Je begrijpt best wat ik bedoel. Je wilde me gisteren kussen, en dat kan natuurlijk niet. Ik ben je lerares, geen vriendinnetje.'

'Ik ben niet zomaar een leerling,' merkte hij op.

'Nee, je bent net zo enthousiast over alles wat de Duitse literatuur te bieden heeft, als ik. Dat waardeer ik heel erg, want dat kom je tegenwoordig niet meer tegen. Je bent een heel goede leerling, maar je blijft een leerling, niet meer en niet minder.'

Hij zweeg, wierp een blik op haar die haar in verwarring bracht en begon ineens weer te lopen.

'Loop nou niet weg,' zei ze, maar hij stopte niet. Ze kon niet anders dan hem nalopen.

'Het heeft geen zin weg te lopen. Je had het recht niet te denken dat ik meer voor je voelde. Ik heb je daar geen aanleiding toe gegeven. De manier waarop je me gisteren hebt laten vallen toen je vader mij beschuldigde, heeft me diep gekwetst.' Ze hijgde en struikelde bijna over een boomwortel die onder het bospad door kroop. 'Ik wilde je helpen omdat ik weet dat je een moeilijke tijd doormaakt. Jouw vader stelde dat in een kwaad daglicht, en jij deed niets om daar iets aan te veranderen.'

'Wat wil je daar nu mee zeggen?' De manier waarop hij naar haar keek, maakte haar plotseling bang. Ze was zich heel erg bewust van het feit dat er niemand in de buurt was. Ze verhief haar stem om die angst de baas te worden.

'Ik wil je zeggen dat je je niet langer in je hoofd moet halen dat wij samen iets hebben. De waarheid is namelijk dat ik niets om je geef.'

'Je liegt!'

'Ik had medelijden met je,' ging ze hardvochtig door.

'Dat is niet waar!' schreeuwde hij. 'Je wilt het niet aanvaarden omdat je bang bent voor de liefde tussen ons.'

'Er ís geen liefde tussen ons,' zei ze nadrukkelijk. Ze las de verwarring in zijn ogen en voelde opnieuw medelijden opkomen. 'Jongen, ik weet wel dat je het moeilijk hebt thuis. Je bent op zoek naar liefde. Ik mag je graag. Het voelde vaak alsof je mijn zoon bent, maar meer is er niet. Hoe graag je dat ook wilt. Meer is er niet. Ik kan je de liefde niet geven waarnaar je op zoek bent.'

'Je vond het prettig als ik er was. We konden zo goed samen praten.'

'Over het vak dat ik doceer, ja.'

'Je luisterde naar mij. Ik luisterde naar jou toen je moeder overleed.'

'We kunnen hier eindeloos over discussiëren, maar daar komen we niet verder mee. Je moet hulp zien te krijgen, zodat je straks in staat zult zijn gewoon met leeftijdgenoten om te gaan.'

'Ik wil helemaal niets met leeftijdgenoten. Ik pas er niet tussen. Ze houden zich bezig met dingen die mij niet interesseren. Jij nam me serieus. Ik ben negentien, maar ik voel me ouder dan mijn zogenaamde leeftijdgenoten. Ik voel geen behoefte om me op zaterdagavond eerst zat te drinken voordat ik om middernacht de kroeg in duik. Ik walg van dat oppervlakkige gedoe.'

'Niet al je leeftijdgenoten zijn zo, en het wordt tijd dat je dat ontdekt.'

'Ik hoef niets meer te ontdekken. Ik heb ontdekt dat ik van jou houd.'

'Reinier, houd daarmee op!' Er liep een straaltje zweet tussen haar schouderbladen door. 'Reinier, ik wil niet dat je dat soort dingen zegt. Geloof me nu maar als ik zeg dat ik niets voor je voel.'

'Je houdt van me,' hield hij hardnekkig vol.

Ze besloot het over een andere boeg te gooien. 'Wat je daarover ook denkt, Reinier, een zekerheid is dat we op school op een andere manier met elkaar moeten omgaan.'

'Ik ga niet meer naar school.'

'Natuurlijk ga je naar school. Je zit in je eindexamenjaar. Al die jaren dat je hiernaar toegewerkt hebt, ga je toch niet zomaar opgeven?'

Hij wendde zijn hoofd af, en ze zag dat hij huilde. Met tegenzin liep ze naar hem toe, sloeg haar arm om hem heen. 'Je komt hier wel overheen. Nu is het moeilijk, maar dit gaat voorbij. Je hebt je gedachten in je hoofd gehaald die niet strookten met de werkelijkheid. Je bent ook nog zo jong.' Ze voelde zich een leugenaar, maar ze praatte toch verder. 'Er komt wel een nieuwe liefde in je leven. Probeer professionele hulp te zoeken als dat nodig is. Je hebt het thuis niet makkelijk, en ik begrijp heel goed dat je daardoor juist in mij iemand zag met wie je je leven wilde delen. Als je er goed over nadenkt, weet je ook wel dat het niet kan.'

'Laten we maar teruggaan.' Zijn tranen verdwenen even snel als ze gekomen waren.

'Beloof je me dan dat je gewoon op school komt?'

Hij haalde zijn schouders op. 'Als jij daar prijs op stelt.'

'Het gaat om jezelf,' zei ze zacht. 'Het gaat om jouw toekomst'

'Dat begrijp ik wel.' Hij keek haar aan, en tot haar opluchting glimlachte hij.

Langzaam liep hij terug. Zij liep naast hem.

'Ik heb er vannacht over nagedacht en overwogen ontslag te nemen,' bekende ze hem.

'Dat is niet nodig.'

'Dat idee heb ik ook. We weten nu allebei waar we aan toe zijn. Mocht het de komende tijd nog wel voor grote problemen zorgen, dan kunnen we er nog eens over praten.' Langzaam werd de wereld lichter.

Hij stak een arm door de hare.

'Nou begin je toch niet weer?' wilde ze weten.

'Het kan nu nog even. Bij de auto is het echt voorbij.' Opnieuw glimlachte hij, maar nu zag ze weer de jongen in hem die haar ontroerde, die haar medelijden opwekte maar die ze ook bewonderde.

'Vooruit dan maar,' gaf ze toe. De zon scheen door de kruinen van de bomen en toverde vlekken op de grond. In een stevig tempo liepen ze terug, en ze stelde zich voor hoe ze hem straks bij het station zou afzetten. Daarna zou ze naar huis rijden, opgelucht omdat het voorbij was. Een beetje weemoedig ook, omdat het zo had moeten eindigen en ze nooit meer onbevangen met hem kon omgaan.

'Het is beter dat je nu ook geen boeken meer van me leent,' verwoordde ze haar gedachten.

Hij reageerde niet. Ze keek opzij en zag dat zijn blik gevestigd was op het einde van het bospad. Zij volgde zijn blik, zag haar auto en merkte op dat er een auto bij gekomen was. Er was verder niemand te zien.

'Ik wil je aanraden toch eens bij de plaatselijke bibliotheek te informeren,' vervolgde ze opgewerkt. 'Er moet toch een manier zijn om aan goede boeken te komen?'

'Via internet heb ik al adressen gevonden waar ik voordelig twee-dehands boeken kan kopen.' Hij keek nu wel naar haar en glimlachte opnieuw. 'Dank je dat je toch zo lief voor me bent, ondanks alles.' Hij drukte haar arm tegen zich aan. Een beetje ongemakkelijk keek ze voor zich, niet wetend hoe ze moest reageren. Ze zag dat er nu iemand bij de auto stond die in hun richting keek. Voorzichtig maakte ze zijn arm los en ging een eindje bij hem vandaan lopen. Haar ogen spanden zich in om te zien wie daar was. Ineens herkende ze de rector van de school waar ze werkzaam was. 'Hans Cremers,' fluisterde ze ontzet. 'Wat moet die man hier nou?'

'Misschien wil hij met eigen ogen zien wat we voor elkaar voelen,' hoorde ze Reinier zeggen, en toen ze naar hem keek, wist ze dat ze in zijn val gelopen was. Ze kreeg de neiging om te keren en heel hard weg te lopen, maar besefte dat er geen weg terug was. Hans Cremers had gezien dat ze gearmd uit dit bos waren komen lopen, en nu al wist ze dat elk woord waarmee ze zichzelf wilde vrijpleiten, haar zou beschuldigen.

'Waarom heb je dit gedaan?'

'Wat gedaan?' Het klonk nonchalant.

'Je hebt Hans Cremers ingelicht.'

'Wat denk je toch allemaal van me?'

Koortsachtig streden gedachten in haar hoofd om voorrang. Steeds dichter naderden ze de figuur van Hans Cremers, en met elke stap die ze deed, leek haar schuld toe te nemen. Hoe had ze kunnen denken dat het voorbij was? Iedereen zou het weten. Iedereen zou haar beschuldigen, en zij was de enige die wist dat ze onschuldig was. Menno zou haar niet geloven, Constantijn zou haar niet geloven, Hans Cremers niet, haar collega's niet. De hele wereld zou haar de rug toekeren. Ze zou vallen en nooit meer opstaan. Ze haalde diep adem en groette Hans. 'Wat brengt jou hier?'

Zijn strakke gezicht sprak boekdelen. 'Ik wil daar graag met je over doorpraten in mijn kamer op school. Eerst breng ik nu Reinier naar huis. Ik verwacht je met twintig minuten voor een gesprek.'

'Mijn jasje ligt nog bij jou in de auto,' merkte Reinier op. Weer was er die glimlach, maar nu ontdekte ze dat zijn ogen niet meededen. Zonder een woord te zeggen opende ze het portier en wachtte totdat hij zijn jasje had gepakt en liet zich toen op de bestuurdersplaats zakken. Roerloos zat ze daar en zag de auto van Hans de weg op rijden. Heel even ving ze nog Reiniers blik. Waarom had ze zijn kwaadaardigheid niet eerder opgemerkt? Hoe had ze kunnen denken dat hij het erbij zou laten zitten? Blind was ze geweest. Er waren aanwijzingen genoeg. Ze was gewaarschuwd, en ze had niet willen luisteren. Iedereen had gezien wat er gaande was; alleen zij had met oogkleppen op gelopen. Ze had zich in vroeger tijden gewaand, in Reinier had ze de Menno van vroeger gezien, de man die haar inspireerde, die zo veel met haar deelde. Ze had niet willen zien dat Reinier soms niet eerlijk was, dat hij een door hem zorgvuldig geregisseerde ontmoeting toeschreef aan toeval. Plotseling werd haar alles duidelijk, maar het allerduidelijkst was wel dat ze er geen kant mee op kon. Niemand zou geloven dat ze zo verschrikkelijk naïef was geweest. Alles pleitte tegen haar. Wanhopig zocht ze naar wegen die de komende catastrofe konden afwenden, maar ze vond die niet. Er was geen weg terug; de gebeurtenissen waren onomkeerbaar.

20

HIJ STOND VOOR HAAR, HANS CREMERS, GROOT EN BESCHULDIGEND. Nergens was zijn normale, joviale manier van doen te bespeuren. 'Je had me moeten waarschuwen,' zei hij. 'Je bent veel te ver gegaan.' 'Ik meende dat het achter de rug was,' bekende ze. 'Ik dacht echt dat ik het goed aangepakt had.' Ze durfde hem nauwelijks aan te kijken.

'Gisteravond hoorde ik het van zijn vader,' vertelde Hans. 'Het liep al tegen tienen toen hij belde. Hij had er de hele dag over nagedacht of hij het moest doorgeven of niet. Uiteindelijk vond hij dat ik het toch moest weten, en ik ben blij dat hij die beslissing genomen heeft.'

'Hoe wist je dat ik die afspraak met Reinier had gemaakt?'

'Reinier had het tegen zijn vader verteld, met de tijd en plaats erbij. Ik had in eerste instantie helemaal geen zin om als een soort Sherlock Holmes achter jullie aan te rijden. Ik wilde niet eens geloven dat het waar was. Je leek me zo integer. De leerlingen liepen met je weg. Ik had wel eens iets gehoord over jou en Reinier, maar ik had besloten dat niet serieus te nemen. Je hebt zelf een man die rector is. Ik meende dat jij wel zou weten tot hoe ver je kon gaan.'

'Ik ben nooit te ver gegaan.'

'Meneer De Rooi trof je op de slaapkamer van zijn zoon aan. Noem je dat niet te ver?'

'Ik heb er een verklaring voor.'

Ze had geweten dat het zo zou gaan. Ze wist dat ze alleen aanklachten in zijn ogen zou lezen.

'Ik ben benieuwd,' zei hij, maar voordat ze begon, wist ze al dat het een ondoenlijke zaak zou worden, dat hij niet benieuwd was, maar zijn oordeel allang klaar had.

Met de moed der wanhoop begon ze toch.

'Ik wipte laatste bij mijn vader aan, zag hem daar in de buurt lopen en pikte hem op. De dag ervoor had ik hem verteld dat ik niet wilde dat hij me steeds opzocht. Op school had hij zich ziek gemeld, en ik vroeg me af of dat daarmee te maken had. Ik wilde hem uitleggen waarom ik vond dat we ons contact tijdelijk op een laag pitje moesten zetten.'

'Je had dus echt iets met die jongen,' constateerde Hans.

'Nee, dat had ik niet. Hoe zou ik iets kunnen beginnen met een jongen die pas negentien jaar geworden is? Hij zou mijn zoon kunnen zijn.' Ze veegde langs haar wangen en ontdekte dat die nat waren. 'Ik wilde een eind wandelen, naar het park of zo, maar hij gaf aan dat hij daar geen zin in had en vroeg me hem naar huis te brengen. Eenmaal daar aangekomen wilde hij me zijn nieuwe aanwinsten op het gebied van de Duitse literatuur laten zien.'

Nu wist ze dat ze nooit naar zijn huis had moeten gaan. In die statige woning had ze zich meteen ongemakkelijk gevoeld. Het was alsof juist daar de grens tussen lerares en leerling steeds vager was geworden. 'Hij had de verzamelde werken van Schiller gekocht,' ging ze door. 'Daar was hij trots op. De banden stonden in zijn boekenkast op de slaapkamer.' Ze had zich verbaasd over zijn kamer, die zo'n andere sfeer uitademde dan van een doorsneejongere. Bij hem in de buurt was ze vaak vergeten dat hij zo jong was. Hij leek ouder. Ze slikte. 'Reinier werd opdringerig, maar ik heb hem duidelijk gemaakt dat ik daar niet van gediend was. Zijn vader heeft niets onbetamelijks gezien, omdat er gewoon niets onbetamelijks is gebeurd.'

Toch had ze zich schuldig gevoeld toen hij zo plotseling voor haar had gestaan. Met de komst van zijn vader was de onschuld van haar bezoek aan zijn slaapkamer weggenomen. Plotseling had ze haar aanwezigheid daar door zijn ogen gezien. Ze kon alleen maar toegeven dat het een heel rare indruk maakte.

'Verder is er niets gebeurd? Jij bent niet op de avances van Reinier ingegaan?'

Ze schudde haar hoofd. Ergens hoopte ze nog steeds dat hij haar zou geloven.

'Reinier heeft heel andere dingen verteld.'

'Dan heeft hij gelogen.'

'Het is zijn woord tegen het jouwe, en jij bent in het nadeel.' Hij zuchtte. 'Ik zou je graag willen geloven, maar ik kan het niet. Je kwam samen met Reinier het bos uit, en jullie liepen veel dichter tegen elkaar aan dan noodzakelijk was. Ik heb het met eigen ogen gezien.' Reinier had zijn arm door de hare gestoken. Nu wist ze dat hij dat willens en wetens had gedaan. Hij had geweten dat Hans er zou staan en zijn conclusies zou trekken. Ze had in hem altijd een jongen gezien die buitengewoon intelligent, maar ook buitengewoon ongelukkig was. Ze had niet kunnen vermoeden wat voor gevolgen dit voor haar zou hebben.

'Onze school is een christelijke school,' vervolgde Hans. 'We hebben normen en waarden hoog in het vaandel staan. Leerkrachten hebben daarbij een voorbeeldfunctie.'

Ze herinnerde zich plotseling de leerkracht bij Menno op school die ook ontslag gekregen had. Menno was er trots op geweest dat hij het zo goed had aangepakt. Had Franssen dezelfde machteloosheid gevoeld als zij? Was hij net zo in een hoek gedrukt waaruit hij niet kon ontsnappen?

'De vader van Reinier zal er werk van maken als ik niets doe,' hoorde ze Hans zeggen. 'Je begrijpt wel dat ik dat moet voorkomen.'

'Misschien kan ik met hen gaan praten. Als ik Reinier confronteer met zijn leugens ...'

'Die mensen willen niet met je praten, en het blijft jouw woord tegenover dat van Reinier,' viel hij haar in de rede. 'Vergeet daarbij niet wat zijn vader zelf heeft gezien.'

Ze stond op. 'Er valt niets meer te redden, hè?'

Hij schudde zijn hoofd.

'Je hoeft me niet te schorsen. Ik wil graag de eer aan mezelf houden en ontslag nemen.'

'Het spijt me.'

Ze probeerde haar waardigheid te behouden en stak hem haar hand toe.

'Het spijt me echt,' zei hij nog eens. 'Je was een prima docent. De leerlingen zullen je missen.'

'Ze zullen vragen wat er gebeurd is.'

'Ik zal proberen de informatie zo summier mogelijk te houden.'

'Dank je.' Ze wist dat het niet zou helpen, dat verhalen over haar al snel de ronde zouden gaan doen, dat ze hun eigen leven zouden gaan leiden.

Met opgeheven hoofd liep ze zijn kamer uit, maar ze hoopte dat ze geen collega's in de gang zou tegenkomen. Ze voelde zich klein, vernederd en wanhopig.

Ze trok de sleutel uit het contact en voelde hoe haar handen trilden. Het trillen was begonnen op het moment dat ze in de auto was gestapt, alsof de waarheid toen pas echt tot haar doorgedrongen was. Ze keek naar het huis waar ze gisteren ook was geweest. Op dat moment had ze niet durven zeggen wat haar dwarszat. Nu leek Jacqueline de enige bij wie ze haar hart kon uitstorten. Het was onmogelijk meteen naar huis te gaan. Ze zou stikken in haar wanhopige gedachten.

Voordat ze de auto uit stapte, keek ze naar de sms-berichten in haar mobiele telefoon. Steeds weer had ze in haar tas de welbekende pieptoon gehoord die een nieuw bericht aankondigde. Het verraste haar niet de naam van Reinier te zien staan. 'Ik blijf van je houden.' 'Bel me alsjeblieft.' 'We zijn voor elkaar geschapen.' Ze wiste de berichtjes en drukte de telefoon uit. Daarna stapte ze uit de auto en liep om het huis heen. Ze zag de auto staan, vroeg zich af of Floris er ook zou zijn en stuitte op een gesloten zijdeur. Waarschijnlijk wilde Jacqueline niet gestoord worden. Vandaag had ze daar geen boodschap aan. Ze liep terug naar de voordeur en belde aan. Floris' voetstappen klonken in de gang, zwaarder en rustiger dan die van haar zus. Zelf had ze geen idee wat voor indruk ze maakte met de doorgelopen make-up op haar inwitte gezicht waar de wanhoop bijna vanaf straalde.

'Kind, wat is er met jou aan de hand?' schrok Floris.

'Ik moet met Jacqueline praten,' wist ze uit te brengen.

'Ze is er niet.'

'Is ze er niet? Hoe kan dat nou? De auto staat naast het huis.'

'Ze kon met iemand meerijden.'

'Dan ga ik maar weer.' Ze wankelde. Hij hield haar tegen.

'Zo laat ik je niet gaan.'

'Ik kan niet ...'

'Je hoeft me niets te vertellen. Drink alleen even een kop koffie, of heb je liever thee? Je moet even tot rust komen.'

Hij sloeg een arm om haar heen en loodste haar de gang in.

'Daarna laat ik je echt gaan, maar op deze manier kun je niet eens rijden.'

Hij duwde haar de kamer in, gooide kussens van de bank. 'Ga hier maar zitten. Wil je liever koffie of thee?'

Ze haalde haar schouders op.

'Ik heb kruidenthee. Daar zul je een beetje van tot rust komen.' Hij was al weg, maar stak even later zijn hoofd weer om de deur. 'Gaat het een beetje?'

Ze knikte werktuigelijk. Het voelde alsof ze verdoofd was. Ze zat hier op de bank, maar maakte het niet echt mee. In de keuken hoorde ze haar zwager redderen. Ze sloot haar ogen. Even later kwam hij de kamer weer in. 'Ik hoop niet dat de thee te slap is. Het is nogal snelle thee geworden.'

Ze glimlachte flauwtjes, keek toe hoe hij de kopjes op tafel zette en zweeg. Floris deed alsof het normaal was. Hij ging ontspannen tegenover haar zitten en roerde eindeloos door de hete thee.

'Ik ben zo stom geweest,' ontglipte haar ineens. Het zwijgen verstikte haar bijna. Ze had het gevoel dat ze overliep. 'Nu pas zie ik hoe naïef ik was. Ik heb alles gezien in het licht van zijn onschuld, maar hij was helemaal niet zo onschuldig als ik dacht. Iedereen zal me veroordelen, en ze hebben gelijk. Ik had wijzer moeten zijn.'

Hij begreep niet waar ze het over had. 'Achteraf zie je vaak de waarheid,' merkte hij toch op.

'Er waren zo veel aanwijzingen. Zo kwam ik hem een keer toevallig tegen. Achteraf bleek hij precies te weten waar ik was. Er was dus helemaal geen sprake van toeval.'

'Vind je het vervelend me te vertellen wie 'hij' is?' informeerde Floris voorzichtig.

'Je zult het toch wel te weten komen.' Ze aarzelde even, stak toen toch van wal, eerst zoekend naar woorden, maar gaandeweg steeds sneller pratend.

Floris zweeg en dronk zijn kopje leeg, liet haar praten.

'Ik schaam me zo,' eindigde ze haar verhaal. 'Nu ik het vertel, is het gewoon een optelsom van stomme fouten. Hoe heb ik het in mijn hoofd kunnen halen mee naar zijn slaapkamer te gaan? Het gaf me meteen al geen goed gevoel, en toch heb ik niet geweigerd.'

'Hij wilde je toch zijn nieuwste aanwinsten laten zien?'

'De verzamelde werken van Schiller, ja. Ik zal nooit meer iets van Schiller kunnen lezen zonder aan zijn slaapkamer te denken, en erger nog, aan zijn vader.'

'In het licht van wat je nu weet, is het inderdaad niet verstandig geweest. Op dat moment was het niet zo raar, en bovendien had je waarschijnlijk het idee hem voor het hoofd te stoten als je zou weigeren.'

'Ik had altijd zo'n medelijden met hem. Die jongen leek zo eenzaam. Op school stond hij overal buiten. Hij werd gepest en genegeerd. Thuis was geen warmte of liefde. Soms was het alsof de eenzaamheid uit al zijn poriën stroomde. Daarbij was het gewoon prettig met hem over allerlei dingen te praten, waarbij de Duitse literatuur natuurlijk domineerde. Ik vergat vaak dat hij nog maar negentien was. Hij wist zo veel, leek zo wijs voor zijn leeftijd.'

'Hij is vooral doortrapt,' concludeerde Floris.

'Ik begrijp niet waarom hij me op deze manier te pakken heeft genomen.'

'Je zei zelf dat hij eenzaam was. Jij gaf hem de aandacht die hij nergens anders kreeg. In zijn gevoel is hij waarschijnlijk heel erg kwetsbaar. Jij wilde hem helpen en nodigde hem thuis uit omdat je met hem te doen had. Hij zag daarvoor een heel andere reden. Een mens die weinig liefde heeft gekend, slaat al snel door wanneer iemand oprechte belangstelling voor hem toont. Hij werd verliefd op je en zorgde ervoor dat hij steeds weer op je weg kwam, letterlijk en figuurlijk. Dat had het gewenste effect. Je liet hem nooit staan, maar pikte hem op, nam hem zelfs mee naar huis. Hij stelde zich voor dat je dat uit liefde deed.'

'Op een gegeven moment kreeg ik door dat de ontmoetingen niet altijd toevallig waren.'

'Toch nam je hem mee, want je bleef medelijden met hem houden.'

'Ja, dat moet het zijn geweest.' Ze voelde zich een beetje beter nu ze haar hart had kunnen luchten, en Floris de gebeurtenissen rustig probeerde te analyseren.

'Op de dag dat je hem vertelde dat jullie wat afstand moesten nemen, stortte zijn wereld in,' vervolgde haar zwager. 'Hij tuimelde uit zijn roze wolk, maar weigerde de waarheid te aanvaarden. Hij wilde niet accepteren dat jij misschien niet van hem hield.'

'Zou dat werkelijk zo zijn? Wat dacht hij dan toch te bereiken met die voor mij compromitterende situaties bij hem thuis en nu net in het bos? Hij kan toch nagaan dat de liefde daardoor meestal niet toeneemt?'

'Zo nuchter kan hij niet meer nadenken. Waarschijnlijk verwacht hij dat je daardoor straks in zijn armen wordt gedreven.'

'Hij zal me nu niet met rust laten, hè?'

Floris keek ernstig. 'Ik ben bang van niet.'

'Wat haalt hij zich in zijn hoofd!' viel ze ineens uit. 'Die jongen is nog maar een snotneus van negentien.'

'Juist dat is misschien de reden? Wellicht is hij niet zo wijs en volwassen als hij iedereen doet denken.'

Ze dacht aan de sms'jes die hij had gestuurd. Waarschijnlijk zouden het er nog veel meer zijn als ze haar mobiele telefoon aan zou zetten. Het was heel wel mogelijk dat hij inmiddels ook al naar huis had gebeld. Op haar horloge zag ze dat Menno met een uurtje thuis zou komen. Het zou kunnen dat Reinier inmiddels Constantijn al aan de telefoon had getroffen, maar het leek haar raar dat hij iets tegen hem zou zeggen. 'Ik moet weg.' Ze kreeg ineens haast. Gejaagd dronk ze haar theekopje leeg, waarin de rustgevende kruidenthee allang koud was geworden. Ze moest zien te voorkomen dat hij Menno aan de telefoon kreeg. Als ze hem zelf sprak, zou ze hem er misschien van kunnen weerhouden door te blijven bellen of sms'en.

'Denk je dat je nu wel kunt rijden?' informeerde Floris bezorgd. 'Ik wil je ook best met mijn auto brengen. Op een of andere manier komt de jouwe dan wel weer thuis.'

'Ik red het nu wel.' Ze stond op en omhelsde haar zwager. 'Bedankt. Ik voel me iets minder wanhopig dan daarnet.'

'Je kunt altijd bij ons terecht als er iets is.'

'Dat weet ik. Daarom ben ik hier ook gekomen.' Ze produceerde een beverig lachje.

'Mag ik het Jacqueline vertellen?'

'Ze zal er toch wel achter komen.'

'Ik wens je heel veel sterkte.'

'Ik ben bang dat Menno me niet zal willen geloven,' bekende ze nu. 'Als hij je een beetje kent, weet hij dat jij je niet zomaar in avonturen zult storten. Ik vind dit eigenlijk helemaal niets voor jou. Jij bent over het algemeen heel bedachtzaam. Je kiest niet snel voor iets onbekends. Jacqueline en jij lijken, wat dat betreft, totaal niet op elkaar. Bij haar zou ik niet opkijken als haar zoiets zou overkomen. Ze denkt zelden na voordat ze iets doet. Uit pure goedheid wil ze de hele wereld wel helpen zonder te beseffen dat heel veel mensen niet te helpen zijn. Jij bent heel anders. Voor mijn gevoel denk jij juist heel goed na over zoiets. Daaruit blijkt dat die jongen het heel geraffineerd gespeeld heeft. Menno zou er blijk van geven je heel slecht te kennen als hij je niet gelooft.' Hij gaf haar een bemoedigende kus op haar voorhoofd. 'Ik vermoed dat het vanavond niet heel lang zal duren voordat je je zusje aan de telefoon zult hebben. Geen tien paarden zullen haar daarvan kunnen weerhouden.'

Hij zwaaide toen ze wegreed, maar sloot met een somber voorgevoel de deur. Op het moment dat Yvonne zo overstuur was aangekomen, had hij het beeld van Menno voor zich gezien zoals hij hem een tijd terug bij de verkeerslichten in de auto had gezien. Menno en een jonge, leuke vrouw. Zijn keurige zwager had Jacqueline en hem niet opgemerkt, zo was hij verdiept geweest in de vrouw naast hem. Het verhaal van Yvonne had hem verrast. Hij had iets heel anders verwacht, maar juist in dat licht vroeg hij zich nu af of zijn zwager wel bereid zou zijn zijn vrouw te geloven. In de keuken schonk hij zichzelf nog een kop ontspannende kruidenthee in. Het werkte niet echt.

21

MENNO'S AUTO STOND BREEDUIT OP HET ERF GEPARKEERD. HIJ WAS veel vroeger dan anders. Tijdens de rit naar huis was haar hoofd weer vol gedachten geraakt, en de rust die ze even bij Floris had gevonden, was al snel verdwenen. Die auto van Menno leek haar een slecht voorteken. Ze parkeerde de hare erachter en liep, schijnbaar rustig, naar de achteringang. Van boven klonk, zoals gewoonlijk, muziek uit de kamer van Constantijn. In de woonkamer klonk Menno's stem. 'Ik vind het attent dat u het discreet wilt afhandelen. Jazeker, het is zo al moeilijk genoeg.'

Ze stond stil in de deuropening en wachtte tot het gesprek beëindigd was. 'Yvonne komt net binnen,' hoorde ze hem zeggen, en na enige plichtplegingen drukte hij de telefoon uit.

'Waar ben je in vredesnaam mee bezig geweest?' begroette hij haar.

'Hoe bedoel je?'

'Houd je niet van de domme. Je weet heel goed wat ik bedoel. Die jongen belde me vanmiddag gewoon op school. Ik wist niet wat me overkwam. Hij vertelde me dat jij en hij betrapt waren door Cremers na een genoeglijk samenzijn in het bos.'

Ze wilde blijven staan, maar haar benen beefden. Ze hield zich vast aan een stoel.

'Ik heb die jongen vierkant uitgelachen,' vertelde Menno verder. 'Ik wist wel dat die knaap je heel na aan het hart lag, maar dat je verder zou gaan, leek me ondenkbaar. Je kent mijn positie. Ik dichtte je voldoende gezond verstand toe om zo ver niet te gaan. Een jongen van negentien, een leerling van je, dat is toch onvoorstelbaar!'

'Zo ver ben ik ook niet gegaan,' beaamde ze.

Menno deed alsof hij haar niet hoorde. 'Die jongen bleef maar doorgaan. Hij had het over een bezoek aan zijn ouderlijk huis, over zijn vader die onverwacht was thuisgekomen. Ik bleef hem uitlachen. Ik werd eigenlijk pas serieus toen hij vertelde dat je een gesprek met Cremers zou hebben. Hij verwachtte dat je wel geschorst zou worden.'

Ze haalde diep adem, maar voordat ze iets kon zeggen, vervolgde hij: 'Ik kon mijn gedachten niet meer bij mijn werk houden. Daarom ben ik eerder naar huis gegaan, en hier heb ik de vrijheid genomen om Cremers te bellen.'

'Het is niet wat je denkt,' wist ze ertussen te brengen.

'Oh nee? Dus het klopt niet dat Cremers bij je auto stond toen jullie uit het bos kwamen? Jullie liepen niet dicht tegen elkaar aan tot het moment dat je de rector van je school ontwaarde?'

'Zullen we even gaan zitten? Ik besef heel goed dat het allemaal tamelijk verdacht klinkt, maar uiteindelijk is de grootste fout die je me kunt aanrekenen, het feit dat ik te goedgelovig ben geweest.'

Tot haar opluchting nam hij inderdaad plaats op de bank, terwijl hij geagiteerd over zijn voorhoofd streek. 'Ik had werkelijk niet gedacht dat dit me zou overkomen. Ik had je echt moeten verbieden te gaan werken. Cremers heeft me bezworen dat hij er met discretie mee zou omgaan, maar ik vrees dat die knul heel wat minder voorzichtig zal zijn. Hoe denk je dat ze bij mij op school zullen reageren? Heb je dan echt geen moment aan mijn positie gedacht?'

'Jouw positie, jouw positie. Is dat werkelijk het allerbelangrijkste in je leven?' Ze voelde zich niet langer beschaamd; ze was kwaad. 'Alles in dit huis heeft altijd in het teken gestaan van jouw positie, van jouw school, van jouw werk.'

'Dat ben je dan de laatste weken helemaal vergeten!' Hij schreeuwde. Menno verloor niet snel zijn zelfbeheersing, maar nu was zijn gezicht rood aangelopen. 'Je hebt je als een idioot gedragen. Je bent en blijft mijn echtgenote. Wat jij doet, wordt mij ook aangerekend.'

'Doe niet zo belachelijk.' Zijn woede maakte haar plotseling rustig.

'Men zal hooguit medelijden met je hebben, omdat jouw vrouw zo dom was met een leerling aan te pappen.'

'Je had een verhouding met die jongen!'

'Dat zou Reinier heel graag gewild hebben, maar daar is geen moment sprake van geweest.'

'Er zijn getuigen!'

'De ene getuige heeft me inderdaad op zijn slaapkamer zien zitten.

Netjes in een stoel met een boek op schoot. De andere getuige heeft me met Reinier uit het bos zien komen, en die heeft op een gegeven moment inderdaad zijn arm door de mijne gestoken. Als ze beweren meer te hebben gezien, liegen ze.'

'Vind je dat niet genoeg bewijs? Bovendien werd er op school over jou en Reinier gepraat!'

'Mensen houden van sappige verhalen. Jij weet hoe graag Reinier Duitse literatuur las, en je weet ook hoe prettig ik het vind daar met iemand over te praten die geïnteresseerd is. Hij is die middag bij ons thuis geweest en heeft bij ons gegeten. Heb je ons kunnen betrappen op veelzeggende blikken, op ook maar iets wat erop zou kunnen wijzen dat ik meer voor die jongen voelde dan medelijden of vriendschap? Je hebt hem op een gegeven moment zelfs het adres van mijn vader en van Jacqueline gegeven. Daar spreekt geen wantrouwen uit.'

Langzaam verdween zijn rode kleur. 'Ik zei je ook al dat ik die jongen vanmiddag niet eens geloofde,' gaf hij toe. 'Maar hoe je het ook wendt of keert, alles spreekt tegen je. Je bent te ver gegaan. Veel te ver.'

Ze besefte hoe snel gevoelens konden veranderen. Naar Reinier had ze altijd met warme genegenheid gekeken, vermengd met medelijden. Niets was daar nog van over. Afschuw voelde ze wanneer ze aan hem dacht.

'Reinier is een jongen die altijd buiten de groep valt,' zei ze nu zacht. 'Hij is intelligent en interesseert zich voor heel andere dingen dan zijn leeftijdgenoten. Hij is daardoor eenzaam, en in die eenzaamheid heeft hij zich dingen in zijn hoofd gehaald die er niet waren. Ik wil graag de gelegenheid van je krijgen om te vertellen wat er precies is gebeurd.'

'Je gaat je gang maar.'

Wat aarzelend begon ze, beseffend hoe weinig kans van slagen ze had. Hij zou haar niet geloven, om de doodeenvoudige reden dat hij haar niet geloven wilde. Tijdens haar verhaal las ze ongeloof op zijn gezicht, en af en toe een smalende lach. Later besefte ze dat de woorden van Floris haar de moed hadden gegeven om verder te vertellen. 'Als hij je een beetje kent, weet hij dat jij je niet zomaar in avonturen zult storten.' En: 'Menno zou er blijk van geven je heel slecht te kennen als hij je niet gelooft.'

Ze beëindigde haar verhaal. 'Ik besef dat ik buitengewoon naïef ben geweest, maar ik kon gewoon niet geloven dat Reinier tot zoiets in staat was.'

'Heb ik je niet gewaarschuwd?'

'Ik weet het, maar ik ben al die tijd het goede in die jongen blijven zien. Het spijt me heel erg. Je zult al gehoord hebben dat ik mijn baan heb opgezegd. Ik kan er niets meer aan veranderen, niets meer terugdraaien. Ik kan je alleen maar zeggen dat ik het heel beroerd vind dat het zo gelopen is. Als ik alles had geweten, had ik het heel anders aangepakt.'

'Denk je dat je daarmee wegkomt?' Ze las afkeer op zijn gezicht. Hij schudde zijn hoofd. 'Wat heeft je al die tijd toch bezield? Stekeblind ben je geweest, en dan wil je me ook nog vertellen dat je niets voor die jongen voelde.'

'Niet meer dan vriendschap. Soms had ik het idee dat ik er een zoon bij gekregen had.'

'Daar investeerde je dan meer in dan in je eigen kind.'

'En dat zeg jij?'

Hij haalde zijn schouders op. 'Hoe het ook zij, ik voel me bedrogen. Je hebt me voor gek gezet. Ik vertrouw je niet meer.'

'Misschien moeten we het even laten bezinken.'

'En denk je daarna gewoon door te gaan?'

'Desnoods gaan we samen in therapie.'

'Omdat jij een misstap maakt?'

'Omdat er veel meer aan ons huwelijk mankeert dan een jongen van negentien die zich te veel in zijn hoofd heeft gehaald.'

'Probeer je het nu te bagatelliseren of wil je de schuld uiteindelijk bij mij neerleggen?'

Ze zuchtte. Haar woorden troffen niet echt doel. 'Wat wil jij?'

'Ik wil het niet, maar ik denk dat er geen andere mogelijkheid is.'

Ze keek hem afwachtend aan.

'Ik denk dat we uit elkaar moeten gaan.'

'Tijdelijk bedoel je?'

'Hoe komt het toch dat je denkt dat je er zo makkelijk vanaf komt?'

'Scheiden bedoel je dus.'

'Ja, ik wil dat je weggaat. Ik kan je aanwezigheid in dit huis niet langer verdragen.'

Ze keek naar zijn gezicht, dat ondoorgrondelijk stond.

'Heb je misschien ook al een idee waar ik dan heen zou moeten gaan?'

'Je vader zal het vast op prijs stellen als je een poosje bij hem intrekt tot je permanente woonruimte hebt gevonden.'

'Waar zou Constantijn dan moeten slapen?'

'Heb ik het over Constantijn gehad?'

'Constantijn zal met me mee willen.'

'Dat waag ik te betwijfelen, en ik zal het hem zeker ten sterkste afraden.' Ze schrok van zijn boosaardigheid. Het was duidelijk dat hij haar op geen enkele manier ook maar een kans wilde geven. Die wetenschap maakte haar ineens strijdbaar. Hij mocht denken wat hij wilde, zij kende de waarheid.

'Als ik werkelijk schuldig was, zou ik gaan,' zei ze. 'Maar ik ben niet schuldig. Als je mijn aanwezigheid niet kunt verdragen, zul je zelf naar andere woonruimte moeten uitkijken. Wellicht heeft Aimée nog een ideetje, hebben haar ouders nog vrienden die iets in de verhuur hebben.'

'Wat heeft Aimée daarmee te maken?'

'Vul dat zelf maar in. Ik ben haar onverwachte bezoek tijdens de vakantie nog niet vergeten. Je probeerde me wijs te maken dat je me verteld had dat je het huis via Aimée huurde. In mijn naïviteit wilde ik dat graag geloven, maar ik wist dat het niet waar was. Ik kan nog wel meer vertellen, maar dan is het net alsof ik nu met modder wil gaan gooien, en dat wil ik voorkomen. Ik wil eigenlijk alleen maar zeggen dat ik niet wegga. Jij kunt gaan als je wilt.'

'Je denkt toch niet dat ik nu het veld ruim?'

'Wat je maar wilt. De komende tijd zullen we in ieder geval samen moeten bekijken hoe we verdergaan. Ik zal de consequenties van mijn fouten aanvaarden. Dat heb ik al gedaan door ontslag te nemen. Als je bij je voornemen blijft, zal ik moeten zien dat ik elders werk krijg. Ik kan je verzekeren dat het niet binnen het onderwijs zal zijn, maar dat is van later zorg. Op dit moment moeten we vooral het welzijn van Constantijn in het oog houden.'

'Dat had je eerder moeten bedenken.'

Ze besloot er niet op in te gaan. 'Ik ga koken.' Ze stond op. 'Tijdens de maaltijd zullen we Constantijn alvast van een en ander op de hoogte moeten brengen. Hij heeft daarboven vast al iets meegekregen. We kunnen niet doen alsof er niets aan de hand is.'

'Dat mag jij op je nemen. Je denkt toch niet dat ik nu gewoon met jou aan tafel ga zitten?'

Hij was opgestaan. 'Ik zal er alles aan doen om je zo snel mogelijk uit dit huis te krijgen. Op dit moment kan ik er helaas niets aan veranderen, maar wees ervan overtuigd dat je hier je langste tijd hebt gehad.'

'Dat noemen ze dreigen,' zei ze zacht, maar hij hoorde het al niet meer. Met grote stappen was hij weggelopen. Even later hoorde ze zijn auto het erf af scheuren.

Ze pakte de ingrediënten en de pannen die ze nodig had voor het bereiden van de maaltijd. Ze leek heel rustig, maar haar hart ging als een razende tekeer.

Ze zette net de borden in de vaatwasser toen ze tot haar grote verbazing de auto van Jacqueline op het erf zag stoppen. In stilte zegende ze nu de afwezigheid van Menno. Met grote stappen kwam haar zus naar de achterdeur. De wijde gebloemde bloes die ze over een strak aansluitende broek droeg, fladderde achter haar aan.

'Ik moest even naar je toe. Floris dacht dat het dan allemaal misschien nog erger zou worden, maar ik zie al dat Menno er niet is, dus dat zal wel meevallen.' Ze nam plaats op de bank. 'Nu vielen er voor mij werkelijk puzzelstukjes op hun plaats. Die keer dat je onaangekondigd op mijn stoep stond om rosé te drinken, was er iets aan de hand, dat voelde ik.'

'Ik was toen door de vader van Reinier betrapt en voelde me vreselijk,' bekende Yvonne.

'Waarom vertelde je me dat dan niet?'

'Ik schaamde me er zo voor.'

'Yvonne, ik ben je zus! Je mag alles met me delen. Bovendien is daar toch niets gebeurd wat niet door de beugel kan?'

'Het was, achteraf bezien, niet echt verstandig.'

'Achteraf weet je altijd hoe je het had moeten aanpakken.'

'Het voelt zo ontzettend dom.' Yvonne was er ook bij gaan zitten. 'Ik was echt met de beste bedoelingen bezig. Ik vond het een aardige jongen. Hij is zo slim, weet zo veel van de Duitse literatuur. Het was heerlijk daar met hem over te praten.'

'Je vond in hem terug wat je bij Menno miste,' vulde Jacqueline in. Verrast keek ze op. 'Zo is het misschien ook. Je weet nog wel hoe Menno en ik vroeger konden bomen over schrijvers en dichters.'

'Nou en of ik dat weet. Pappa ergerde zich daar groen en geel aan, want dat begreep hij niet, en als hij iets niet begrijpt, is het niet goed.'

'Hij mocht Menno meteen al niet.'

'Menno begon tijdens zijn eerste bezoek over een aperitief voor het eten. Die arme pappa had geen idee waar hij het over had.'

'Zo wordt er bij Menno thuis gepraat.'

'Precies, maar dat schiep direct een blijkbaar onoverbrugbare kloof tussen schoonvader en schoonzoon.' Ze leunde achterover, haar handen om haar rechterknie gevouwen. 'Hoe heeft Menno nu gereageerd?'

'Zoals te verwachten was. Hij wil scheiden.'

Jacqueline zweeg. In gedachten zag ze het beeld voor zich dat Floris vanmiddag ook voor zich had gezien. Ze hadden er samen over gepraat en waren tot dezelfde conclusie gekomen. De gebeurtenissen met deze jongen en Yvonne zouden Menno waarschijnlijk heel goed van pas komen.

'Hij vindt zijn reputatie erg belangrijk,' vervolgde Yvonne. 'Daar heb ik nu een grote smet op geworpen.'

'Hij is meteen vertrokken?'

'Hij is gegaan omdat ik weigerde op te stappen. Hij zal er wel alles aan doen om mij zo snel mogelijk dit huis uit te krijgen. Bovendien wil hij dat Constantijn bij hem blijft. Ik verwacht hem straks wel terug. Waar hij nu is, weet ik niet. Misschien is hij naar zijn ouders gegaan. Ik wil gewoon niet geloven dat hij bij Aimée zit.'

'De lerares met wie Floris en ik hem een tijd terug in de auto zagen?'

Yvonne zuchtte. 'Ja, die.'

'Woont die hier in de buurt?'

'Ze woont in Kampen en komt altijd met de bus naar school.'

'Ze kwam me bekend voor. Hoe heet ze nog meer?'

'De Wolf, Aimée de Wolf. Ik zou niet weten waar je haar van zou moeten kennen.'

'Misschien heb ik haar eens op een expositie ontmoet of zo. Waar woont ze dan in Kampen?'

Argeloos voorzag Yvonne haar zus van een straatnaam.

'In die buurt kom ik eigenlijk ook zelden,' reageerde Jacqueline onschuldig. 'Daar ken ik haar dus niet van. Denk je dat hij iets met die lerares heeft?'

'Ik voel al langere tijd dat er iets is. Tijdens onze vakantie kwam ze onverwacht een dag bij ons langs, en ik zag hoe Menno toen veranderde. Hij werd weer helemaal de man die hij was toen wij elkaar pas kenden, toen hij nog verliefd op me was. Laatst kwam jij met het verhaal dat je hen samen in zijn auto had gezien. Ik heb hem ermee geconfronteerd maar ben er niet werkelijk op ingegaan. Ik wil niet over en weer met modder gooien.'

'Je hoeft niet te aardig voor hem te zijn. Je was ook aardig voor die jongen, die Reinier en je ziet nu waar het je gebracht heeft.'

'Het gaat me nu niet om Menno. Het gaat me om Constantijn. Ik heb tijdens het eten geprobeerd hem een beetje op de hoogte te brengen van de problemen. Hij had ons natuurlijk toch wel horen

ruziemaken. Bovendien was Menno ineens vertrokken.'
'Hoe reageerde hij?'
'Constantijn is een binnenvetter.'
'Houd hem goed in de gaten, Yvonne.'
'Ik wil in ieder geval voorkomen dat hij het gevoel krijgt tussen ons in te zitten. Dat zal moeilijk worden als Menno hem straks koste wat kost bij zich zal willen houden.'
'Daar heeft Constantijn zelf ook nog iets over te zeggen.'
'Als je moet kiezen tussen je vader en moeder, wordt dat een heel moeilijke keuze. Ik wil hem die keuze graag besparen.'
'Zeg het me als ik iets voor je kan doen.'
'Ik vind het fijn dat je gekomen bent.'
'We zijn zussen,' verklaarde Jacqueline eenvoudig. Ze stond op. 'Ik ga weer. Beloof me dat je echt belt of komt als ik iets voor je kan betekenen. Schaam je er niet voor.'
'Ik ben bang voor wat er allemaal nog op me af zal komen.'
'Je staat er niet alleen voor.'
'Dat weet ik,' zei ze, maar toen de auto van Yvonne het erf af reed, voelde het wel zo.

Jacqueline kende Kampen. Moeiteloos laveerde ze haar auto door de straten en zocht het adres dat Yvonne had genoemd. Ze was niet echt verbaasd de auto van Menno voor een van de flats te zien staan en toch besefte ze zich dat ze liever wilde dat ze het bij het verkeerde eind had. Nu werd alles definitief. Van het huwelijk van haar zus, dat jaren lang voor de buitenwereld perfect had geleken, was op dit moment niets meer over. Ze liep naar de deur van het eerste portiek, zocht op de naambordjes, maar vond de naam die ze zocht, niet. Bij het volgende portiek was het raak. Haar vinger prikte al op de bel ernaast. Het duurde even voordat een jonge stem informeerde wie er was.
'Jacqueline Vechter. Ik kom voor mijn zwager.'
Er klonk nu duidelijk verwarring door in die heldere stem. 'Zwager?'

'Menno Fynvandraadt.'

'Hoe komt u erbij dat die hier zou zijn?'

'Zijn auto staat hier.'

Er werd boven beraadslaagd. Daarna was de stem er opnieuw. 'Hij komt eraan.'

Ze wachtte eindeloze minuten, waarin ze plotseling twijfelde aan haar missie. Er klapte een deur dicht; voetstappen klonken op de betonnen traptreden. Door het raam naast de deur zag ze hem de laatste trap af lopen, rechtop, arrogant als altijd.

'Wat verbeeld jij je wel?' begroette hij haar.

'De pot verwijt de ketel dat hij zwart ziet,' wierp ze hem voor de voeten. 'Je weet heel goed dat Yvonne niet zo veel te verwijten valt als jij doet. Je weet heel goed dat een scheiding je momenteel goed uitkomt.'

'Meen je nu echt dat jij het recht hebt je met onze zaken te bemoeien?'

'Wel als mijn zuster onrecht wordt aangedaan. Ik zal er niet over uitweiden, Menno. Ik wil je nu wel heel duidelijk zeggen dat ik het niet zal nemen als jij het Yvonne te moeilijk maakt. Je laat haar rustig in jullie huis wonen totdat het verkocht is en ze iets anders heeft gevonden. Je blijft met je handen van Constantijn af. Die jongen heeft het recht zelf te beslissen. Maak hem niet tot onderwerp van jullie strijd. Geef hem de ruimte om te doen wat hij wil, en zet hem niet onder druk. Er kunnen allerlei prima regelingen voor hem getroffen worden. Jij gaat daar gewoon aan meewerken. Zo niet, dan hoort iedereen waar ik de rector van het IJsselmeer College heb aangetroffen.'

'Je denkt mij te kunnen chanteren?'

'Noem het zoals je wilt, meneer Fynvandraadt. Wees ervan overtuigd dat ik doe wat ik zeg. Yvonne is namelijk mijn zus en ik neem het voor haar op.' Ze zag de onzekerheid in zijn ogen. Heel even was de arrogantie van zijn gezicht verdwenen. 'Ga nu maar weer gauw naar je jonge vriendinnetje. Je hebt geluk dat ík je auto hier zie en niet iemand van jouw school. Jij hebt veel meer

geluk dan Yvonne en ergens kan ik dat niet uitstaan.'
Met grote stappen beende ze terug naar haar auto.

22

'Here, Gij doorgrondt en kent mij;
Gij kent mijn zitten en mijn opstaan,
Gij verstaat van verre mijn gedachten;
Gij onderzoekt mijn gaan en mijn liggen,
met al mijn wegen zijt Gij vertrouwd.'
Ze liet de woorden uit psalm honderdnegenendertig op zich inwer-
ken en keek naar haar vader zoals hij daar aan tafel zat, haar vader
zoals ze zich hem herinnerde uit haar jeugd. Zijn dunne, grijzende
haar viel over zijn voorhoofd. Hij haperde soms wat tijdens het
lezen en maakte af en toe een fout. Haar vader kon lang niet zo
mooi voorlezen als haar moeder, maar het bijbellezen was altijd zijn
taak gebleven. Het was voor haar vanzelfsprekend geweest dat hij
dat deed, totdat Menno een van de eerste keren bij hen had gegeten.
'Die man kan niet eens fatsoenlijk lezen,' had Menno nadien laatdunkend opgemerkt, en ze had schaamte gevoeld. Sinds die tijd had
ze geprobeerd zo min mogelijk samen met Menno bij hen thuis te
eten. Als ze had gedurfd, had ze haar moeder gevraagd in het ver-
volg te lezen.
Nu vond ze het prettig naar zijn vertrouwde stem te luisteren, die
de woorden vol eerbied uitsprak.
'Want Gij hebt mijn nieren gevormd,
mij in de schoot van mijn moeder geweven,
Ik loof U, omdat ik gans wonderbaar ben toebereid,'
Het waren vertrouwde woorden, die nu een diepere betekenis kregen. Speciaal voor haar had hij deze psalm uitgezocht, nadat ze hem
verteld had wat er in haar leven was gebeurd. Hij had gevraagd of
ze wilde blijven eten, en omdat Constantijn toch niet thuis was, had
ze toegestemd. Met zorg had hij de worteltjes bereid, met daarbij
aardappelpuree en botervis met een lichte saus. Als dessert had hij
griesmeel gekookt. Ouderwetse griesmeel, die ze in haar jeugd ook
zo vaak had gegeten. Hij had altijd plezier gehad in koken. Sinds hij

met vervroegd pensioen was gegaan, had hij regelmatig de taak van kok op zich genomen. Na het overlijden van haar moeder was zijn kookervaring hem van pas gekomen. Met liefde at hij de kliekjes van de buurvrouw, maar hij vond het prettig af en toe zelf weer eens achter het fornuis te staan. Nadat de maaltijd beëindigd was, had hij langzaam door de bijbel gebladerd, de oude bijbel met de versleten rug. De trouwbijbel van haar ouders, met voorin hun trouwtekst in sierlijke letters geschreven: 'God is ons een toevlucht en sterkte, ten zeerste bevonden een hulp in benauwdheden. Daar zullen wij niet vrezen, al verplaatste zich de aarde, al wankelden de bergen in het hart van de zee.' De eerste verzen van psalm zesenveertig, wist ze. Haar vader had ze vaak voorgelezen. De dominee had zijn preek tijdens de begrafenisdienst van haar moeder gebaseerd op deze tekst. Het was het fundament van het huwelijk van haar ouders geweest.

'Doorgrondt mij, o God, en ken mijn hart.' De woorden van haar vader drongen weer tot haar door.

'Toets mij en ken mijn gedachten;
zie, of bij mij een heilloze weg is,
en leid mij op de eeuwige weg.'

Zorgvuldig sloot hij de Bijbel. Er viel een stilte, waarin hij bleef zitten met de Bijbel als een kostbaarheid tegen zich aangedrukt. Ze wist niet hoe ze moest reageren. Het leek eindeloos te duren voordat hij eindelijk opkeek. 'Als vader blijf je altijd van je kind houden,' sprak hij. 'Door allerlei omstandigheden kun je soms van elkaar verwijderd raken, maar de liefde voor je kind blijft. Ik houd van je. Ook al leken we de afgelopen jaren steeds bij elkaar weg te drijven, mijn liefde voor jou is gebleven. Je bent mijn kind. Je blijft mijn kind. Hoeveel te meer zal onze Vader in de hemel dan niet van je blijven houden? Aan zijn liefde kunnen we niet eens tippen. We zijn er te nietig voor. Hij kent ons door en door. Hij heeft gezien wat er de afgelopen tijd gebeurd is. Hij is van je blijven houden. Ook de komende tijd zal Hij je nabij zijn. Wees daarvan overtuigd.' Harmen Lura staarde naar zijn handen. Af en toe kwam het verlangen naar Jenny heel heftig in hem op. Zij had hun dochter verder kunnen helpen. Hij probeerde het op zijn eigen manier, maar hij wist het nooit zo mooi te zeggen als zij. Af en toe kon de pijn van het verlies hoog in hem opgloeien, op momenten als deze.

'Ik begrijp eigenlijk niet dat een jongen als die Reinier zo intens gemeen kan zijn. Het is net alsof hij willens en wetens je huwelijk kapot heeft willen maken.'

'Ik weet niet of hij echt zo gemeen is. Hij leeft waarschijnlijk in zijn eigen wereld, en in die wereld gingen hij en ik bij elkaar horen. Hij wilde niet aanvaarden dat ik die droom kapotmaakte. Hij dacht waarschijnlijk echt dat ik van hem hield. Ik was een paar dagen geleden zo woedend op hem. Ik voelde me zo machteloos. Als ik me probeerde te verweren, hoorde ik zelf hoe ongeloofwaardig mijn woorden klonken. Hij had me schaakmat gezet. Ik kon geen kant op.' Ze haalde diep adem. 'Uiteindelijk is het niet alleen Reinier geweest. Tussen Menno en mij was in de loop der jaren een kloof ontstaan die niet meer te dichten bleek. Ik ben nu in staat te zien dat Reinier vooral een eenzame jongen is. Hij is erg intelligent, en dat werd hem in de klas niet in dank afgenomen.'

Ze herinnerde zich weer hoe hij eens met haar had staan praten bij de auto en toen naar het plein teruggelopen was. Haarscherp zag ze voor zich, hoe hij zijn hoofd boog toen er door klasgenoten iets naar hem werd geroepen. Hij deed alsof hij het niet hoorde, maar aan de manier waarop hij liep, had ze kunnen zien dat ze hem gekwetst hadden. Een paar dagen geleden had ze een diepe afkeer van hem gevoeld. Nu zag ze af en toe zijn eenzaamheid weer.

'Bollebozen liggen nooit lekker in de klas,' beaamde haar vader. 'Wij hadden vroeger ook zo'n ventje op de lagere school. Haalde altijd goede cijfers, en als de meester iets vroeg, was hij er als de kippen bij om het antwoord te geven. We konden hem niet uitstaan maar hij ging nadien wel naar het gymnasium, terwijl de meesten van ons naar de lts gingen. Ik heb jaren later eens gehoord dat hij rechter is geworden. Hij zal wel meer centen in de knip hebben dan ik. Wie het laatst lacht, lacht het best.'

Hij stond op en zette de Bijbel op de vaste plaats in het bergmeubel. 'Kind, je moet het voorlopig allemaal maar een beetje over je heen laten komen. Het zal een moeilijke tijd voor je worden, maar je redt het wel. Zorg er alleen voor dat je Constantijn bij je krijgt. Ik moet er niet aan denken dat hij de rest van zijn jeugd moet doorbrengen bij die pietlut die meent dat de wereld om hem draait.' Hij sloeg een hand voor zijn mond. 'Dat had ik misschien niet moeten zeggen. Verzoeke dit als niet gesproken te beschouwen.'

Onwillekeurig moest ze om hem lachen. Hij was er blij om. Het was goed dat ze een beetje plezier had. Met die schoonzoon van hem had ze niet veel vrolijkheid gekend. Het was beroerd dat het allemaal zo gelopen was, en hij begreep wel dat er de komende tijd nog heel wat op haar af zou komen. Hij vond het prettig dat ze het hem vandaag zelf was komen vertellen. Tijdens haar huwelijk met Menno was er een verwijdering tussen hen ontstaan. Hij vroeg zich af of daar nu verandering in zou komen. Uiteraard kon ze op zijn steun rekenen, al wilde hij toch ook zijn eigen leven blijven leiden. Jenny zou van hem verwacht hebben dat hij hun oudste dochter hielp, maar ze zou hem vast op het hart hebben gedrukt toch ook de dingen te blijven doen die hij leuk vond.

'Ik zou vanavond bij Lidy televisiekijken,' kondigde hij daarom aan. 'Dat doen we meestal op zaterdagavond. In je eentje is er niets aan. Meestal halen we dan iets lekkers in huis, en als er niets op de televisie is, gaan we rummycuppen of zo. Vroeger deden we dat met z'n vieren. Piet, Lidy, mamma en ik. Nu zijn we nog maar met z'n tweeën over. Het kan toch raar lopen in het leven.'

Ze stond ook op, nam zijn bord en zette het op de hare.

'Je vindt het toch niet erg?' Haar zwijgzaamheid maakte hem onzeker. 'Als je het leuk vindt, kun je ook wel mee. Lidy maakt het vast niet uit.'

'Ik was toch van plan zo naar huis te gaan,' haastte ze zich te zeggen. Ze stapelde de borden op elkaar en liep ermee naar de kleine keuken.

Constantijn was dit weekend bij zijn vader, die plotseling als een blad aan de boom was omgeslagen. Via een relatie had hij tijdelijk een woning kunnen huren. Hij had haar gezegd dat hij erover had nagedacht, maar dat het voor Constantijn veel beter zou zijn vrijheid te hebben en niet voor een van zijn ouders te hoeven kiezen. Hij wilde het initiatief voor de scheiding nemen en zou contact met haar opnemen als er van haar iets verwacht werd. Ze waren samen om de tafel gaan zitten en hadden afspraken op papier gezet. Zij zou in het huis blijven wonen totdat het verkocht was. Terwijl ze in de keuken stond, besefte ze plotseling dat haar leven in een week tijd wel heel erg veranderd was. Als in een stroomversnelling waren de gebeurtenissen elkaar opgevolgd, en ze had niet anders kunnen doen dan zich laten meedrijven. In deze kleine keuken leken de gebeurtenissen haar plotseling te overspoelen. Ze leunde tegen het aanrecht. Ze voelde een pijn die haar de adem benam. Niet tijdens de gesprekken die ze samen hadden gevoerd, niet tijdens het vertrek van Menno had ze de pijn van het onherroepelijke zo gevoeld als juist nu. Ze hoorde haar vader door de kamer lopen en herinnerde zich al die keren dat Menno zich laatdunkend over haar familie had uitgelaten. Nu ze terugkeek op de veertien jaar die hun huwelijk inmiddels had geduurd, zag ze vooral leegte.

23

Ze liepen door haar kamer, een man en een vrouw die ze niet kende, maar die zich gedroegen alsof het huis van hen was. De makelaar trok een keukenkastje open. 'De kastjes zijn ruim en lopen door tot aan het plafond.'

'Niet praktisch,' vond de vrouw, en ze trok een zuinig gezicht. 'Ik kan nooit bij die bovenste plank komen.' Ze wreef met haar vingers over het glanzende deurtje. 'Elke vinger is hierop te zien.'

Yvonne klemde haar kaken op elkaar. Samen met Menno had ze de keuken met zo veel zorg uitgezocht.

'Ik denk dat ik die keuken er meteen uit laat slopen,' hoorde ze de man nu zeggen. 'Het is helemaal onze smaak niet. Dat moderne lijkt altijd zo goedkoop.'

'Dat kookeiland vind ik dan wel weer mooi,' zei de vrouw. Haar hakken tikten op de plavuizen. 'Zo'n inductiekookplaat is heel praktisch met kleine kinderen zoals wij hebben.'

Yvonne zat voor het raam in een stoel met een boek op schoot. De makelaar leidde de aspirant-kopers rond. In het begin had ze nog gedaan alsof ze verdiept was in het boek, maar die schijn had ze allang laten varen. Er waren al eerder kijkers geweest, maar uiteindelijk hadden die een veel te laag bod uitgebracht. Die keren was ze het huis ontvlucht. Nu had ze besloten te blijven. Een half jaar stond het huis al te koop. Enerzijds wilde ze dat het huis verkocht zou worden, zodat ze kon verhuizen en opnieuw beginnen. Anderzijds zou het de laatste stap zijn die alles definitief zou maken.

'De kamer vind ik helemaal niet praktisch.' Hoofdschuddend was de man haar kant uit gekomen.

Ze stond op, glimlachte vriendelijk en liep naar de hal om haar jas te pakken.

'Gaat u weg?' informeerde de makelaar.

'Even een frisse neus halen.' Ze probeerde te glimlachen.

'Het is wel erg fris buiten,' zei de vrouw, maar ze reageerde er niet meer op. Een kille wind blies in haar gezicht toen ze de achterdeur opende. Ze sloeg haar sjaal een paar keer om haar hals, trok haar kraag hoog op en liep de tuin in. De winter duurde dit jaar lang. Ze was blij dat de zomertijd binnenkort weer werd ingesteld, zodat de avonden langer zouden worden. In de tuin waren de krokussen aarzelend boven gekomen. De grond voelde hard onder de zolen van haar schoenen. Langzaam liep ze over het pad naar het prieel waar ze in de zomer zo graag had gezeten. De komende zomer zouden er andere mensen zitten. Misschien zouden ze het prieel weghalen, omdat ze het net zo lelijk of weinig praktisch vonden als de keuken. Met hun woorden braken ze af wat ze hier met Menno had opgebouwd. Steeds minder was er de afgelopen tijd van overgebleven. Om de twee weken haalde hij Contstantijn een weekend op, en elke keer wanneer ze hem zag, verbaasde ze zich erover dat ze met deze man zo lang getrouwd was geweest. Meestal wisselden ze een aantal beleefdheidsfrasen uit en spraken ze over Constantijn of over de stagnerende verkoop van hun huis. Dat was hun gebleven. Ze maakten niet langer deel uit van elkaars leven.

In dat halve jaar had ze geïnformeerd naar werk en omscholing. Het was ondenkbaar dat ze nog eens als lerares aan het werk zou gaan. Onlosmakelijk zou lesgeven verbonden blijven met Reinier en alle pijn die die had veroorzaakt. Nu ze door de tuin liep, besefte ze dat het goed zou zijn als deze mensen, die alles wat haar dierbaar was, afkraakten, zouden besluiten het huis te kopen. In overleg met Menno en de makelaar had ze tamelijk hoog ingezet. Ze konden best een eind in de prijs zakken zonder zichzelf al te veel tekort te doen. Ergens in Emmeloord wilde ze een woning huren, en misschien zou het haar lukken werk te vinden en toch weer een leuk huis te kopen. Voor Constatijn bleef ze in Emmeloord wonen, hield ze de buitenwereld voor, maar ze wist dat het ook zeker voor zichzelf was. Na een bezoek aan haar vader had ze bij een winkel in de buurt boodschappen gedaan, en daar had ze Bettine getroffen. Het was haar op dat moment duidelijk geworden hoe erover haar gepraat werd. Bettine had gedaan alsof ze haar aanwezigheid niet opmerkte en was vervolgens omgekeerd.

'We gaan weer. Ik zoek zo snel mogelijk contact met u.' De makelaar stak zijn hoofd om de achterdeur. Hij dempte zijn stem. 'Ik denk dat ik u straks positief nieuws kan melden. Mevrouw vroeg zich al af of de gordijnen over te nemen waren.' Hij grijnsde vriendschappelijk en verdween weer achter de deur. Ze ging op het bankje zitten en luisterde naar het geluid van auto's die gestart werden en wegreden. Ze vroeg zich af wat ze voelde, maar ze wist het niet. Haar handen lagen ijskoud in haar schoot.

'Heb je je spullen klaarstaan?' wilde ze weten, terwijl ze de dampende aardappels op het bord van Constantijn schepte. 'Je weet dat pappa altijd zo door wil rijden wanneer hij je haalt.'
'Natuurlijk weet ik dat.'
Hij goot overvloedig jus over de aardappels.
'Heb je alles klaarstaan dan?'
'Bijna alles. Ik moet alleen mijn tandenborstel nog in de toilettas stoppen, maar ik wil na het eten mijn tanden nog poetsen. Hij zou trouwens pas om half zeven komen. Ik heb nog drie kwartier de tijd.'
Ze schepte zichzelf maar weinig op, wetend dat ze niet veel zou eten. Op een of andere manier maakte het haar altijd nerveus wanneer Menno weer aan de beurt was om Constantijn op te halen. Van de zorgvuldigheid waarmee hij altijd met afspraken omging, was er in het geval van Constantijn weinig te merken. Meer dan eens zegde hij de afspraak op het laatste moment af. Zowel bij Constantijn als bij haarzelf leverde dat spanning op, die altijd bleef tot het laatste moment. Ze geloofde pas werkelijk dat hij Constantijn ophaalde wanneer zijn auto voor haar huis stopte.
'Ik wil met hem eerst even overleggen over de verkoop van het huis,' merkte ze op. 'Je weet dat de mensen die hier laatst waren, een bod hebben gedaan, en ik denk dat we dat moeten accepteren. Ze willen de gordijnen overnemen en zelfs de kippen houden. Dat zijn positieve bijkomstigheden.'
'Het lijkt me niet leuk te gaan verhuizen,' merkte Constantijn op.

'Je zit waarschijnlijk een stuk dichter bij school, want ik heb me ingeschreven voor een huis in Emmeloord.'

'Ik kan hier mijn muziek zo lekker hard zetten.'

'Je kunt daar makkelijker bij Rogier aanwippen, en als je wilt, kun je tussendoor bij pappa aanlopen.'

'Daar stelt hij vast geen prijs op.'

'Waarom niet?' wilde ze weten.

Hij haalde zijn schouders op. 'Dat heb ik al een keer geprobeerd, maar toen was ik niet echt welkom.'

'Was Aimée er toen?'

De vraag ontglipte haar.

'Ach, wat doet dat er nou toe?' reageerde hij korzelig.

'Je hebt gelijk. Dat moet ik niet aan jou vragen.' Ze wist genoeg.

'Weet je al wat jullie dit weekend gaan ondernemen?' informeerde ze om hem af te leiden.

Hij haalde zijn schouders op. 'Eerst gaan we in ieder geval naar opa en oma. Ze vinden het altijd zo héérlijk om hun kleinzoon weer te zien.' Hij deed de stem van haar voormalige schoonmoeder na. 'Daarna gaan we naar huis, en meestal lig ik er op vrijdagavond dan mooi op tijd in. Ik weet nog niet wat hij morgen voor plannen heeft.'

Het klonk lusteloos.

'Je hebt niet veel zin,' begreep ze.

'Morgen gaan Rogier en nog een stel uit mijn klas naar Zwolle, en ik had best graag mee gewild maar pappa wil daar vast niets over horen. Dat vind ik wel eens lastig. Op de zaterdagen dat ik naar hem toe moet, kan ik nooit iets leuks met vrienden gaan doen.'

'Daar moet je dan eens met pappa over praten,' stelde ze voor. 'Misschien vindt hij het helemaal niet erg als je eens een weekend ruilt.'

'Ik zie wel.'

Voor het huis stopte een auto die ze meteen als die van Menno herkende. 'Daar is pappa al,' schrok ze. Ze keek op de klok om zich ervan te overtuigen dat het werkelijk nog geen tijd was.

'Hij is veel te vroeg,' mopperde Constantijn en stak nog snel een stuk van zijn gehaktbal in zijn mond.

Menno opende het portier en stapte uit de auto.

'Zal ik opendoen?' bood Constantijn aan.

'Eet jij maar door. Misschien kan ik hem in de gang nog zo lang aan de praat houden dat jij je bord kunt leegeten.'

Zoals elke keer wanneer ze hem nu ontmoette, liep ze met bonzend hart de kamer uit, zichzelf erover verbazend dat een man met wie ze jaren lang haar leven had gedeeld, nu deze uitwerking op haar had. Alle vertrouwdheid was weg. Zijn verschijning bracht alleen nog maar onrust.

'Je bent vroeg,' begroette ze hem.

'Goed dat jij de deur opendoet.' Hij leek zich ook niet op zijn gemak te voelen. 'Ik heb nieuws, en ik wil niet dat je dat van een ander hoort.'

Er bibberde iets in haar.

'Ik heb je ook nog iets te zeggen.' Ze rechtte haar schouders en dacht aan Jacqueline, die haar steeds weer duidelijk maakte dat ze voor zichzelf moest opkomen.

Hij sloot de deur zorgvuldig achter zich en bleef staan. 'Jij mag eerst.'

Ze schraapte haar keel. 'De makelaar belde vanmiddag dat hij een heel redelijk bod heeft gehad.' Ze noemde het bedrag en keek naar zijn gezicht. Hij droeg een gele wollen trui die ze niet kende. Het gaf haar een raar gevoel dat hij kledingstukken in zijn kast had die zij niet samen met hem had gekocht.

'Ik denk dat we dat maar moeten doen.' Hij zocht haar blik. 'Wat vind jij ervan?'

'Ik ben het met je eens.'

'Heb je enig idee op welke termijn je hier dan uit moet?'

Ze schudde haar hoofd. 'Als we toestemmen, zullen ze wel contact met me opnemen. Ik sta ingeschreven bij de woningbouwvereniging. Hopelijk duurt het niet te lang voordat ze een huis voor me hebben.'

'Je kunt dan eindelijk dit hoofdstuk afsluiten en overnieuw beginnen.'

'Denk je echt dat het zo eenvoudig is?'

'Je moet toch verder.' Hij leunde tegen de muur, leek nu veel meer ontspannen dan zij was.

'Wat had je nog meer te vertellen?' wilde ze weten.

'Gisteren heb ik bericht gekregen dat ik na de zomervakantie aangesteld word als rector op een scholengemeenschap in Rotterdam.'

'In Rotterdam?' Ze staarde hem aan. 'En die verbouwing van je school dan?'

'Ik kan nog helpen verhuizen, maar een ander neemt de opening over.'

'Waarom heb je ineens zo'n haast?'

'Ik kreeg de kans. Als je die niet grijpt, is het voorbij. Op zo'n moment moet je prioriteiten stellen.'

'Ik wist helemaal niet dat je die richting op wilde?'

'Ik wil net zo goed overnieuw beginnen, en het leek me goed dat ergens anders te doen. Bovendien betekent dit toch weer promotie.'

'Het gaf geen problemen dat je in een echtscheidingsprocedure verwikkeld bent?'

'Het scheelt als je kunt zeggen dat je schuldloos gescheiden bent.' Hij sprak het woord 'schuldloos' met nadruk uit.

'Schuldloos? Hoe bedoel je, schuldloos?'

'Ik was toch niet degene ...'

'Was jij niet degene die bijna getrouwd was met zijn werk? Was jij niet de man die gesignaleerd werd met een lerares van zijn school? Durf jij werkelijk zonder blikken of blozen te beweren dat jij geen schuld hebt aan het stranden van ons huwelijk?'

'Houd je een beetje in. Constantijn zal je horen.'

'Nu je het toch over Constantijn hebt, hoe denk je dat te doen met je zoon in de weekenden die voor hem gereserveerd zijn?'

'Hij kan in de vakanties bij mij komen als hij wil.'

Zijn koelte was af en toe huiveringwekkend. Ze zweeg, maar er lagen woorden op het puntje van haar tong die ze trachtte tegen te houden.

'Jij wilde toch zo graag dat hij bij je kwam wonen?' Juist die opmerking had hij niet moeten maken.

'Wat heeft jouw zoon ooit voor jou betekend?' wilde ze nu weten. 'Heb je ooit aan hem gedacht? Heb jij je ooit iets voor hem ontzegd?'

'Houd je toch een beetje in!'

Ze haalde diep adem. Haar blik zocht de zijne, maar hij sloeg zijn ogen neer. 'Op een dag krijg je de rekening gepresenteerd,' zei ze zacht. 'Hij is nu nog loyaal tegenover jou, maar op een dag zal hij oud genoeg zijn om de waarheid te zien.'

'Is hij nog niet klaar?'

'Ik ben nog niet klaar. Van Constantijn hoorde ik vorige week dat hij een nieuwe lerares Frans krijgt.'

'Dat klopt. Aimée heeft een andere baan gekregen.'

'Wat toevallig.'

'Hoe bedoel je dat?' Weer die ijskoude koelte.

'Waar gaat ze naartoe?'

'Ik vermoed dat je al weet dat ze naar Den Haag gaat.' Er speelde een vage glimlach om zijn lippen. 'En wat wil je daarmee zeggen?'

'Dat je een berekenende gluiperd bent.' In haar keel klopte en bonsde het. Als ze nu los zou barsten, zou ze de verkeerde dingen zeggen, en uiteindelijk zou ze het onderspit delven. Verbaal was hij haar meerdere in dergelijke situaties. Zij zou eindigen met tranen in haar ogen, vernederd en ontmoedigd. Het vergde het uiterste van haar zelfbeheersing, maar het lukte haar te zwijgen.

Zonder nog een woord aan hem vuil te maken draaide ze zich om en liep in de richting van de kamerdeur. Ze hoorde zijn voetstappen achter zich en draaide zich om. 'Ik heb liever dat je daar wacht. Constantijn komt zo bij je. Hij had zijn eten nog niet op. Je bent ook veel te vroeg.'

'Zoals je wilt.'

'Pappa wil best even op je wachten,' zei ze tegen Constantijn. Ze glimlachte geruststellend en probeerde niets van haar spanning te laten merken. In de gang hoorde ze Menno af en toe kuchen. Ze kreeg met moeite nog een paar happen door haar keel. Constantijn leek veel langer over zijn eten te doen dan anders. Zijn omhelzing, voordat hij vertrok, was veel intenser. Het huis leek na zijn vertrek ongemakkelijk stil.

24

DE AVOND WAS LANG. DE NACHT DIE DAAROP VOLGDE, BRACHT onrust. Het gesprek dat ze met Menno had gevoerd, herhaalde zich eindeloos in haar hoofd. Elke keer wanneer ze insluimerde, hoorde ze weer Menno's met nadruk uitgesproken woorden, 'Als je schuldloos gescheiden bent'. Schuldloos, zo voelde hij zich, een slachtoffer van de situatie, en niemand zou haar geloven als ze vertelde dat zijn hart al langer aan een ander toebehoorde. Ze had die leegte in haar huwelijk gevoeld zonder te weten dat er iemand anders tussen hen was komen te staan. Had ze het daarom zo prettig gevonden met Reinier te bomen? Vulde hij die leegte op? Was dat misschien de reden geweest waarom ze geen achterdocht wilde voelen terwijl hij haar af en toe zo duidelijk misleidde?

Ze zweette en stapte uit bed, maakte in de keuken een beker warme melk voor zichzelf klaar en liet daar wat honing in lopen. In de kamer waren de gordijnen dicht. Ze knipte een klein lampje aan en nestelde zich op de antracietgrijze bank die wat eenzaam in de kamer stond. Menno had wat meubelstukken meegenomen om zijn huis een beetje leefbaar te maken. Veel had hij niet willen hebben. Nu begreep ze dat beter. In Rotterdam wilde hij opnieuw beginnen. Daar had hij hun oude meubels niet bij nodig. Nu ze weer aan hem dacht, voelde ze opnieuw de woede in zich opvlammen, heet en verterend. De beker melk met honing bracht haar niet de rust die ze zich wenste. Toen ze even later weer in bed lag, kon ze nog steeds de slaap niet vatten.

De volgende morgen stond ze laat op met een barstende hoofdpijn. Maart roerde zijn staart. Regen kletste tegen de ramen aan, wind deed de boomtoppen in de singel kreunen. Ze had zich voorgenomen vast te gaan inpakken, maar kon zich er niet toe zetten. Ze at een broodje op de bank, dronk er ontelbare koppen thee bij en nam een ibuprofen omdat ze zeker wist dat paracetamol haar niet van de hoofdpijn af zou helpen. Ze zou boodschappen moeten doen, maar het ontbrak haar aan moed om de deur uit te gaan. Ze bleef op de bank hangen en drukte de televisie aan. Verveeld bekeek ze programma's die ze normaal gesproken nooit zag omdat geen haar op haar hoofd er op zaterdagmorgen aan dacht televisie te kijken. Het ontging haar dat de regen ophield en de zon zich met de moed der wanhoop een weg door het grijze wolkendek trachtte te banen. Ze dommelde weg, maar schrok even later wakker toen luid en doordringend de bel door het huis klonk. Vanaf haar plaats op de bank ontdekte ze nu dat de zon scheen, maar ook dat Hans Cremers op het pad naar de voordeur stond. Even kreeg ze de neiging zich te verstoppen. Hij keek door het raam en stak zijn hand op. Ze kon niet anders dan de deur voor hem openen en had er spijt van dat ze zich vandaag niet had opgemaakt, dat ze nog steeds niet bij de kapper was geweest en vanmorgen had gekozen voor een makkelijke maar vormeloze broek. De roze, verwassen bloes die ze erboven droeg, maakte het er niet beter op. Ze schopte wat schoenen aan de kant die verspreid onder de kapstok lagen. Wanneer ze aan Hans Cremers dacht, zag ze hem voor zich zoals hij de laatste keer was geweest. Groot en beschuldigend, alsof hij een heel eind boven haar uitstak. Nu ze de deur opende, ontdekte ze dat hij nauwelijks boven haar uitstak. Hij leek weer op de man die ze als rector van het Johannes Calvijn College had gekend. De man die haar vroeg hoe het haar op school beviel, die de lerarenkamer kwam binnenlopen voor een kop koffie.

'Kom ik erg ongelegen?' wilde hij weten, en ze ontdekte onzekerheid.

'Als ik had geweten dat je kwam, had ik daar rekening mee kunnen houden.'

'Het spijt me dat ik je overval.' Hij reikte haar zijn hand. 'Ik hoop dat je me toch even binnen wilt laten en me wilt aanhoren. Misschien zul je me nadien kunnen begrijpen.'

Enigszins beschaamd ging ze aan de kant, zodat hij binnen kon komen. Ze nam zijn jas aan, hing die op de kapstok en liep voor hem uit naar de kamer, die plotseling erg rommelig leek. Ze knipte de televisie uit en zag in de baan van de zon ontelbare stofjes kringelen en duidelijke kringen op de glazen salontafel. 'Wil je koffie?'

Hij schudde zijn hoofd.

'Iets anders?' wilde ze weten.

'Een glas ijskoud water zou heerlijk zijn.'

In de keuken vulde ze twee glazen, nam een vochtige doek mee om nog snel de tafel af te nemen en zette de glazen op onderzetters neer.

'Doe voor mij niet te veel moeite.' Hij was gaan zitten op de bank waar zij de vorige keer had gezeten. Zij nam plaats in de rode stoel. Nu was de uitdrukking op zijn gezicht heel anders, milder. Hij glimlachte naar haar, en opnieuw ontdekte ze onzekerheid. 'Je zult je afvragen wat ik zo ineens bij je doe, en ik zal het je maar zo snel mogelijk vertellen. Gisteren heb ik Reinier van Rooi de toegang tot onze school ontzegd.'

'Hoe bedoel je?' Haar mond voelde ineens droog aan. De naam van Reinier maakte nog altijd veel bij haar los.

Hans nam het glas van de tafel en dronk met gretige slokken. 'Na jouw vertrek bleek hij zijn liefde te hebben verlegd naar een meisje uit de tweede klas van de havo.'

Ze keek hem niet begrijpend aan.

Hans vervolgde: 'Hij had blijkbaar geleerd dat hij het beter niet te opvallend kon spelen. Hoe hij precies met haar in contact is gekomen, weet ik niet, maar wel dat hij een paar maanden na jouw vertrek iets met dat meisje is begonnen. Ze was zeker geen opvallend knap meisje, en ze voelde zich uiteraard vereerd dat een zoveel oudere jongeman belangstelling voor haar toonde.'

'In die tijd hielden de sms'jes ook op,' wist ze ineens. 'Ik herinner me dat ik heb overwogen een ander mobieltje te kopen, met uiteraard een ander nummer. Dat was begin november of zo. Ineens hield de stroom sms'jes op, en toen heb ik het maar gelaten zoals het was. Ik heb me nog wel afgevraagd waar ik deze plotselinge onderbreking aan te danken had. Het was bijna vreemd mijn telefoon aan te zetten en dan niet tientallen piepjes te horen ten teken dat ik nieuwe berichten had.'

'Dat zal daar dan vast mee te maken hebben gehad.' Hans keek ernstig en vervolgde 'Het duurde niet zo heel lang voordat het meisje zich toch wat ongemakkelijk begon te voelen, omdat Reinier zich nogal opdringerig en bezitterig gedroeg. Op een gegeven moment heeft ze het getracht uit te maken, maar Reinier raakte helemaal over zijn toeren. Om een lang verhaal kort te maken, hij bedreigde haar op een zodanige manier dat ze tegen niemand iets durfde te zeggen. Bovendien had hij haar ertoe overgehaald om met weinig verhullende kleding voor hem te poseren. Hij dreigde die foto's op internet te zetten als ze het daadwerkelijk waagde uit te maken. Maanden lang heeft hij haar op deze wijze geterroriseerd, en als een ouder zusje van haar niet stiekem haar dagboek had gelezen, was het gewoon doorgegaan. Dat zusje waarschuwde haar ouders, en die hebben er werk van gemaakt, met alle gevolgen van dien.'

'Wat een vreselijk verhaal.'

Hoe was het mogelijk dat ze nu nog nauwelijks kon bevatten dat Reinier tot zoiets in staat was? Waarom zag ze hem op dit moment voor zich met dat T-shirt waarop 'I'm brilliant' stond?

'Dat meisje zal hulp nodig hebben,' merkte ze zacht op. 'Maar misschien Reinier ook.'

'Waarschijnlijk wel. Je begrijpt dat ik ook al moeilijke gesprekken met zijn ouders heb gevoerd. Daaruit kwam naar voren dat Reinier als kind al heel moeilijk is geweest. Hij heeft een tijdje in het hulpverleningscircuit gezeten en is uiteindelijk opgenomen in een psychiatrische instelling voor kinderen. Daarna leek het beter met hem te gaan. Hij kwam bij ons op school terecht en kreeg daar vrienden. Hij bleek uitermate intelligent, en misschien kwam het daardoor dat hij toch al snel weer buiten de groep stond.'

'Ten diepste blijft het een jongeman die te weinig liefde en aandacht van zijn ouders kreeg.'

'Dat is het beeld dat veel mensen van hem hebben.' Hans wreef met zijn hand over zijn kin en haalde diep adem voordat hij verderging.

'Reinier hielp dat beeld waarschijnlijk zelf de wereld in. Zijn moeder werkte in een juwelierszaak tot de geboorte van Reinier. Ze vond het belangrijk thuis te zijn zolang haar kinderen klein waren. Ze hoopte na Reinier nog meer kinderen te krijgen, maar het bleef bij de ene zoon, en Maria besloot weer aan het werk te gaan nadat de problemen met Reinier een beetje opgelost waren en hij naar het voortgezeg onderwijs ging. Een toevallige ontmoeting hielp haar bij die beslissing. Voor zijn geboorte had ze bij een juwelier gewerkt. Op een feestje trof ze haar vroegere baas. Ze raakten in gesprek. Van het een kwam het ander, en hij vroeg haar of ze geen zin had om terug te komen. Ze wilde heel graag, overlegde het met man en kind en niemand leek bezwaar te hebben. Zo ging Maria weer voor twintig uur per week aan het werk. Daardoor was ze er niet altijd wanneer Reinier wat vroeger uit school kwam, en moest hij wel eens een tijdje alleen zijn. Hij blijkt daar achteraf vreselijk veel problemen mee te hebben gehad.'

'Ze legden verder ook niet veel belangstelling voor hem aan de dag,' merkte ze op. 'Ik herinner me het verhaal dat ze er niet eens bij waren tijdens een toneeluitvoering van de brugklassen waar Reinier ontzettend veel werk aan had verzet.'

'Ik denk niet dat ze ervan hebben geweten,' zei hij ernstig.

'Ga nou toch.'

'Hoe moet je zoiets weten als je er niets over hoort? Als je zoon de uitnodiging niet afgeeft?'

'Wat had hij daar nu voor belang bij?'

'Om het verhaal in stand te houden dat zijn ouders geen belangstelling voor hem aan de dag legden?'

'Kom nou.'

'Hij wilde aandacht.'

'Er zijn wel andere manieren om aandacht te krijgen.'

'Voor Reinier waarschijnlijk niet. Hij was een jongen die zich altijd onbegrepen voelde, maar ook een kind dat zijn ouders geen toegang tot zijn innerlijk verschafte.'

'Ik vind het een raar verhaal.'

'Maar jij geloofde wel dat zijn ouders gingen scheiden, terwijl dat niet zo is.'

'Zijn moeder had een nieuwe vriend.'

'Een vaatchirurg?'

'Ja, dat zei hij.'

'Ze is inderdaad een aantal keren naar een vaatchirurg geweest, maar daar zat geen greintje liefde bij. Ze is daar voor een consult geweest.'

'Waarom zei hij dat dan?'

'Hij wilde jou niet kwijtraken. Jij wilde afstand. Hij dacht waarschijnlijk dat je wel medelijden met hem zou hebben als hij met dit verhaal kwam.'

Ze stond op. 'Dat is toch niet te bevatten?'

'Begrijp je misschien dat het voor Maria en Edward ook niet te bevatten was?'

'Zo aardig heeft die vader van hem me niet bejegend.'

'Hij was ook woedend op je toen hij je op de slaapkamer van Reinier tegenkwam.'

'Hij insinueerde ...'

'Hij meende dat je te ver ging, en daarin moet ik hem gelijk geven.'

Ze ijsbeerde door de kamer, kon zich die dag nog zo helder voor de geest halen, voelde opnieuw zo duidelijk haar machteloosheid, maar ook haar schaamte. Reinier had haar op dat moment niet geholpen. Integendeel, ze herinnerde zich zijn glimlach.

'Ik schenk mezelf een glas wijn in,' kondigde ze aan. 'Het is misschien nog wat vroeg, maar ik heb behoefte aan een glas. Zal ik jou ook een glaasje doen of wil je iets anders?'

'Geef me nog maar een glas water.'

In de keuken voelde ze hoe haar hart bonkend tekeerging. Ze schonk zichzelf eerst een glas water in en dronk het achter elkaar leeg. Ze probeerde rustiger te worden en keek door het keukenraam naar buiten, waar de zon de ontluikende tuin nu volop in het licht zette. In de kamer kuchte Hans. Ze realiseerde zich dat ze hier niet langer kon blijven staan, schonk wijn en een glas water hem in en keerde terug naar de huiskamer. Hans zat op het puntje van de bank.

'We hebben de situatie allemaal verkeerd ingeschat,' zei hij ernstig. 'Ik heb jou verweten dat je te ver bent gegaan, maar ik moet mezelf verwijten dat ik niet heb ingegrepen. Er werd over gepraat in de lerarenkamer, en ik meende dat het vanzelf zou overwaaien. Toch wist ik wel dat er bij Reinier iets niet klopte. In de loop der jaren had ik zijn naam meer dan eens horen vallen. Maria en Edward hebben zich ook genoeg te verwijten. Van Reinier kregen ze geen informatie over ouderavonden of andere speciale avonden van school, maar zelf namen ze ook geen initiatieven. Het is toch te gek voor woorden dat je in al die jaren dat je kind op school zit, nooit een briefje krijgt dat er op school iets te doen is of dat je een gesprek met de leraar kunt aanvragen.'

'Ze wisten misschien niet hoe het werkte. Uiteindelijk hadden ze alleen Reinier maar.'

'Dan hoor je in je omgeving wel dat andere ouders naar school gaan of uitgenodigd worden. Als ze werkelijk geïnteresseerd waren geweest, hadden ze zeker zelf eens een telefoontje gepleegd.'

'Waarom heeft hij dat meisje bedreigd, en mij niet?' vroeg ze zich nu af.

'Hij had heel goed in de gaten dat het bij jou geen enkel effect zou sorteren. Bovendien zou hij jou nooit uit de kleren kunnen praten om foto's te nemen.'

Ze huiverde.

Hans schraapte zijn keel. 'Er is meer aan het licht gekomen. Reinier blijkt toch wel foto's van je te hebben gemaakt.'

'Dat kan nooit.' Haar handen voelden klam aan.

'Toch is dat zo. Hij is hier waarschijnlijk vaker in de buurt geweest dan jij hebt vermoed.'

'Foto's van mij?'

'Foto's dat je in de tuin aan het werk bent, bij de auto staat, in de auto zit. Foto's op een ander adres, ik vermoed dat het bij je vader is. Hij heeft je bespied.'

'Waarom? Hij zag me toch op school?'

'Dat was voor hem niet genoeg.'

Ze kreeg de neiging haar glas in één teug leeg te drinken. Ze wist dat het niet hoorde, dat het onfatsoenlijk was. Ze deed het toch, maar ze knapte er niet van op. In haar handen draaide ze het glas eindeloos rond. De afkeer van Reinier vermengde zich met angst, en ze wist niet wat ze ermee aan moest. Hulpzoekend keek ze naar Hans, maar die zag eruit of hij zelf hulp nodig had. 'Hij heeft het eerder gedaan,' hoorde ze hem zeggen. 'Drie jaar geleden zat hij op pianoles. Zijn lerares was onder de indruk van zijn kennis op het gebied van componisten. Hij was leergierig, studeerde hard, deed altijd meer dan ze hem opgaf.'

'Net zoals bij mij. Met zijn kennis probeerde hij indruk te maken, een band te scheppen en liefde op te wekken.'

'Die lerares kwam er zelf achter dat hij haar bespiedde en foto's maakte. Ze heeft vervolgens geweigerd hem nog langer les te geven. De ouders van Reinier hebben haar ervan kunnen weerhouden aangifte te doen.'

'En zijn vader betichtte mij van perversiteiten.'

'Hij was bang dat de geschiedenis zich zou herhalen en heeft zijn woede in eerste instantie op jou afgereageerd. Na jouw vertrek heeft hij zijn boosheid op Reinier gericht.'

Wat onhandig schoof hij heen en weer, dronk zijn glas leeg en kuchte. 'Misschien wordt het tijd dat ik mijn excuus aanbiedt. Ik heb te snel mijn conclusie getrokken, en daarmee ben ik mede debet aan de gevolgen die dat voor jou heeft gehad.'

Ze wist niet wat ze moest zeggen.

'Ik wil je vragen of je me dat kunt vergeven, maar ik zal het je niet kwalijk nemen als je dat niet zo meteen kunt.'

Ze boog zich voorover met haar hoofd in haar handen.

'Ik zou zo graag de tijd terug willen draaien,' vervolgde Hans beschroomd. 'Als ik het anders had aangepakt, had je op onze school kunnen blijven en was Menno nu misschien nog bij je geweest.'

'Dat heb ik de afgelopen maanden ook zo vaak gedacht,' merkte ze

nu op. Haar stem klonk schor. 'Het heeft me niets verder gebracht. Er valt niets terug te draaien. We hebben gehandeld zoals we dachten dat goed was. Waarschijnlijk was Menno inderdaad nog bij me geweest als je het anders had aangepakt, maar de schijn was tegen me. Iedereen zou hetzelfde gedacht hebben als jij. Menno geloofde mijn kant van het verhaal evenmin. Als het goed tussen ons was geweest, zou alles anders zijn gelopen. Daar ben ik van overtuigd. Als het goed zou zijn geweest, zou Menno voor me hebben willen vechten omdat hij Reinier niet zou hebben geloofd. Hij wist hoe ik was, dat ik nooit met een jongen zou aanpappen die mijn zoon zou kunnen zijn. De werkelijkheid is dat het tussen ons al langer niet goed zat. Menno heeft de kans gegrepen die hem werd geboden.'
Opnieuw laaide haar woede op. 'Hij wilde niet meer. Ik ga hem niet zwartmaken, maar neem van mij maar aan dat hij niet meer wilde.' Ze zag dat Hans zich ongemakkelijk voelde. 'Sorry, ik ben op dit moment zo boos, zo verward. Ik geloof dat ik me in al die maanden niet zo beroerd heb gevoeld als nu.'
'Als er iets is wat ik voor je kan doen?'
'Wat zou je moeten doen? Het ligt niet aan jou. Jij hebt me niet bedrogen. Jij hebt geoordeeld op basis van je bevindingen, en die hebben steeds tegen me gesproken. Je hoeft jezelf niets te verwijten.'
'Ik heb erover nagedacht,' merkte Hans op. 'Ik kan je momenteel op mijn school geen baan aanbieden en ik weet ook niet of dat verstandig zou zijn, maar ik kan mijn licht eens opsteken ...'
'Ik ga nooit meer het onderwijs in,' zei ze rustig. 'Ik ben inmiddels bij uitzendbureaus geweest, en bij het Centrum voor Werk en Inkomen, en heb me daar laten inschrijven. Ik heb aangegeven dat ik nooit meer les zal geven. Over een poosje zal ik me waarschijnlijk laten omscholen. Binnenkort begint hier in de polder het seizoen van de tulpen weer. Dat soort dingen wil ik eerst gaan doen. Tulpen of lelies koppen, bollen pellen misschien, en in het najaar de appelpluk. Ons huis is zo goed als verkocht. De helft van de opbrengst die overblijft, is voor mij. Daar kan ik een poosje van leven en goed nadenken over wat ik wil.'

Hij stond op. 'Ik hoop dat je op een dag weer gelukkig zult worden.'
'Op een dag zal het weer beter met me gaan. Ik zal de moed vinden om te vechten, voor Constantijn, maar ook voor mezelf. Nu kan ik me dat nog nauwelijks voorstellen, maar ik weet zeker dat het niet zo zal blijven.'
'Als ik iets voor je kan doen, mag je het me laten weten. Ik kan niets meer ongedaan maken, niets meer veranderen, en dat spijt me oprecht. Je begrijpt dat ik het team op school nog zal inlichten over de gebeurtenissen. Je naam zal gezuiverd worden.' Hij stak haar zijn hand toe. Groot en koel omvatte die haar klamme hand. 'Bedankt dat je me hebt willen aanhoren. Je gaat het wel redden. Je bent een groot mens.'
Ze probeerde niet te denken dat hij dat alleen maar zei omdat hij heel veel goed te maken had.

25

HET HUIS BEANGSTIGDE HAAR NA HET VERTREK VAN HANS. HET LEEK nog stiller dan voorheen. Ze schrok van de telefoon, zag een onbekend nummer in de display staan en durfde niet op te nemen. Ze dronk een paar glazen water, pakte haar autosleutels en reed het erf af. Op de smalle weg reed ze te snel, alsof ze achternagezeten werd. Pas op de autoweg richting Zwolle werd ze rustiger. Ze trachtte haar gedachten te ordenen, vroeg zich af waar ze naartoe zou gaan. De zon scheen laag in haar gezicht. Ze zette haar zonnebril op en drukte de radio op een populaire zender. De muziek maakte haar rustiger. Ze neuriede mee, en hoe dichter ze Zwolle naderde, des te duidelijker werd haar bestemming. Ze nam de bekende afslag, wachtte voor de verkeerslichten, reed de weg naar de begraafplaats waar haar moeder lag. Iets daarvoor parkeerde ze heel rustig de auto langs de kant van de weg en staarde naar het grote huis. Er stond een grote grijze auto voor de garage. Achter het raam van de kamer zag ze het silhouet van een vrouw. Het was alsof ze zichzelf dit pad weer af zag lopen, of ze opnieuw die vernedering, die intense machteloosheid voelde, en ineens welde een hete woede op die haar deed besluiten uit de auto te stappen. Een frisse wind hijgde in haar gezicht toen ze het pad op liep dat naar de voordeur leidde. Haar vinger prikte op de bel. Het duurde even voordat er voetstappen klonken, en al voordat er geopend werd, wist ze dat het Reiniers vader zou zijn.

'U hier?' Opgetrokken wenkbrauwen.

'U kent me nog?'

'Wat brengt u hier?'

Er was geen spoor van schaamte of onzekerheid bij de man te bekennen. Zijn blauwe ogen priemden zich in de hare. 'Nou, waaraan heb ik de eer te danken dat u hier aan mijn deur staat?'

'Ik heb het idee dat u dat zelf weet,' zei ze. 'Ik heb bezoek gehad van meneer Cremers. Hij heeft me verteld wat Reinier heeft gedaan.'

'Wat hebt u daarmee te maken?'

'U weet heel goed wat hij mij heeft aangedaan.'

Zijn wenkbrauwen rezen. 'Hoe bedoelt u?'

'Edward, wat is er aan de hand? Wie is daar?' klonk een heldere vrouwenstem vanuit de kamer. Hij reageerde niet, maar keek haar laatdunkend aan. 'Wilt u misschien zeggen dat u niet vrijwillig op de slaapkamer van mijn zoon zat toen ik zo onverwacht thuiskwam? Het is al even geleden, maar die indruk gaf u me toch helemaal niet.'

'U weet wat ik bedoel.'

De deur van de kamer werd geopend.

'Er is niets bijzonders,' riep Edward van Rooi zijn vrouw geïrriteerd toe. 'Blijf daar toch. Ik kan dit zelf wel afhandelen.'

Lichte hakken tikten op de glanzende parketvloer. Klein en smal stond ze naast haar man, gekleed in een zwarte rok die net boven haar knieën viel. Daarop droeg ze een getailleerd rood jasje dat nog net een beschaafd kantje liet zien van het fijne hemdje dat ze daaronder droeg.

'Mevrouw Fynvandraadt.' Yvonne stelde zich voor met haar meisjesnaam, begreep de tengere vrouw. Ze sloeg haar hand voor haar mond, en duidelijk zag Yvonne de gelijkenis met het gezicht van haar zoon.

'Mevrouw Fynvandraadt wilde net weer weggaan,' zei Edward.

'Ik ga weg zodra ik weet waarom u mij willens en wetens beschuldigde.' Ze liet zich niet wegjagen, maar rechtte haar rug en zocht opnieuw zijn blik. 'De geschiedenis herhaalde zich immers alleen maar. U wist heel goed waartoe uw zoon in staat was. U moet zijn gedrag hebben herkend. Eerst fixeerde hij zich op de klassieke muziek om zijn pianolerares te imponeren. Speciaal voor mij begroef hij zich in de Duitse literatuur.'

'Het spijt me.' Hoog klonk de stem van Maria van Rooi. Ze drong zich voor haar man. 'Ik heb van de week pas gehoord wat er hier in huis is gebeurd, en ook wat de consequenties voor u zijn geweest.'

'Dat heeft ze aan zichzelf te wijten.' Edward wist niet van wijken. Zijn vrouw deed alsof ze het niet hoorde. 'Ik kan er niets meer aan veranderen.' Ze deed nog een stap naar voren. 'Misschien is er in de toekomst nog iets wat ik voor u kan doen.'

'Maria, houd op.'

'Edward, ga jij maar terug naar de kamer. Ik kan dit wel met mevrouw Fynvandraadt afhandelen.'

Hij haalde zijn schouders op, maar haalde tot Yvonnes verbijstering toch bakzeil.

'Edward kan nooit ongelijk bekennen. Dat is een vervelende hebbelijkheid van hem.' Wat ongemakkelijk stonden ze nu tegenover elkaar. 'Het is niet mijn gewoonte dit soort dingen aan de deur af te handelen, maar het wordt wat moeilijk u binnen te laten.' Maria glimlachte verontschuldigend. 'Zoals ik al zei, ik kan er niets meer aan veranderen. Ik zou hebben gewild dat Edward me meteen had verteld wat hier is voorgevallen. Ik had graag uw kant van het verhaal gehoord. Reinier is nooit een makkelijke jongen geweest. Als je kinderen krijgt, stel je je dat toch heel anders voor.'

Yvonnes woede was langzaam weggezakt.

'Vreselijk is het om te horen dat je zoon een meisje van veertien het leven bijna onmogelijk heeft gemaakt. Het is allemaal begonnen met zijn pianolerares. Veel mensen denken dat hij van ons geen aandacht en liefde heeft gehad, maar ik durf met de hand op mijn hart te beweren dat hij die wel heeft gehad. Ik ben er altijd geweest als hij me nodig had. We deden samen leuke dingen.'

Ze leunde tegen de deurpost, beet op haar lip. 'Ik wilde eerst niet geloven dat hij met die pianolerares zo ver was gegaan. Op het moment dat ik die foto's zag, kon ik niet anders. Ik weet niet waarom hij zo is. Hij kon nooit met leeftijdgenoten overweg, stond altijd buiten de groep. Vaak werd hij gepest, maar hij wilde er niet over praten.'

'U hoeft me niet alles te vertellen,' merkte Yvonne op.

'Nee, dat heeft geen zin. De rest weet u trouwens wel. Ik schaam me voor mijn zoon. Soms denk ik dat ik niet meer van hem kan houden, en toch blijft hij mijn kind. Ik moet van hem blijven houden. Wie zal er anders nog van hem houden? Kunt u zich dat voorstellen?'

'Ja,' antwoordde ze zacht. 'Je blijft altijd van je kind houden.'
Ze stak haar hand uit. 'Bedankt dat u me te woord hebt willen staan.'
Maria nam haar hand aan. 'Reinier is op dit moment bij zijn oom en tante. Hij zal u vast wel eens over hen hebben verteld.'
'De Duitse tante.' Onwillekeurig glimlachte ze.
'Precies. Het is goed als we even afstand van hem en de gebeurtenissen nemen. Inmiddels heb ik een afspraak voor hem gemaakt bij een therapeut. Reinier wilde niet. Hij moet.'
De hand voelde klam aan. 'Ik kan niet anders dan u mijn excuses aanbieden. U hebt er niets aan, want u zit met de brokken. Ik besef heel goed dat Reinier veel kapot heeft gemaakt.'
'Reinier niet alleen,' zei ze en trok haar hand terug. Langzaam liep ze het pad af. Ze voelde de ogen van Maria in haar rug prikken. Ze startte de motor van haar auto en wist dat het onmogelijk was nu al naar huis te gaan.

Jacqueline en Floris bleken niet thuis te zijn. Ze wist niet anders te doen dan naar het huis van haar vader te rijden. Lidy opende de voordeur toen ze uit haar auto stapte. 'Je vader is niet thuis.'
'Niet?' Plotseling voelde ze zich verloren. Ze draaide zich om, zodat Lidy haar ontreddering niet zou zien.
'Hij is vissen.'
'Het is helemaal geen weer om te vissen.' In haar zakken zocht ze naar een zakdoek.
'Hier kind, neem deze maar.' Lidy stond al naast haar.
Gegeneerd accepteerde ze de papieren zakdoek die haar aangereikt werd. Lidy deed alsof ze haar verwarring niet opmerkte. 'Het is inderdaad nogal aan de frisse kant om te gaan vissen,' zei ze opgewekt. 'Daarom ben ik ook niet meegegaan. Ik had beloofd hem zo een thermoskan koffie te brengen en wilde dan even bij hem blijven zitten. Hij zal het niet erg vinden als jij die taak van me overneemt.'
'Natuurlijk.' Ze snoot omstandig haar neus.

'Ik had de koffie al klaar. Ga maar vast in de auto zitten. Ik moet het alleen nog even overschenken in de kan. Zal ik er maar twee bekertjes bij doen? Lust je trouwens ook wel een stukje oudewijvenkoek? Je vader is er dol op.'

Gretig accepteerde ze het aanbod van Lidy en wachtte buiten de auto met haar gezicht in de wind. Langzaam werd ze rustiger.

'Je vader zit op zijn favoriete plekje. Dat weet je zeker wel te vinden?' Lidy drukte haar een plastic tas met de opdruk van een voordelige discount in haar hand.

'Ik ging vroeger al met hem mee wanneer hij daar ging vissen.'

'Precies. Je vader houdt niet erg van veranderingen. Doe hem de hartelijke groeten van me en zeg hem dat hij gerust kan blijven zitten zolang hij wil. Vanavond maak ik het me gemakkelijk. Wanneer hij thuiskomt, haal ik gewoon wat van de Chinees.'

Lidy zwaaide haar opgewekt uit.

Ze parkeerde haar auto achter de zijne en liep zachtjes naar de plek waar ze hem verwachtte. Hij draaide zich om toen hij haar voetstappen in het gras hoorde. 'Jij hier? Wat een verrassing.'

'Is het niet te koud om te vissen?' wilde ze weten.

'Koud? Echte vissers malen daar niet om. Ik wilde trouwens net naar huis gaan.'

'Ik heb koffie voor je meegenomen.'

'Hoe kom je daar zo op?'

'Lidy stond op het punt die naar je toe te brengen.'

'Lidy? Dat doet ze anders nooit. We hadden afgesproken dat ik zo bij haar zou komen koffiedrinken.'

'Er is ook oudewijvenkoek.'

'Zo! Nou, dan moeten we nog maar even blijven zitten.'

'Heb je nog wat gevangen?' Opnieuw drongen er tranen in haar ogen. Het was zo vertrouwd hem daar aan het water te zien zitten. Vroeger had ze zo vaak naast hem gezeten. Ze had zich er veilig en geborgen gevoeld, en trots als ze de hengel ook eens mocht vasthouden. Later mocht ze haar eigen hengel meenemen. Er was zo veel voorbij dat nooit meer zou terugkomen.

Haar handen waren koud en onwillig. De bekers dreigden om te vallen toen ze er koffie in schonk. 'Laat mij je helpen,' zei hij. Hij hield de bekers vast. 'Neem jij mijn stoeltje maar. Het is veel te koud voor je om zomaar op de grond te zitten.'

'Ik kan best even ...'

'Luister naar je vader.'

Even later zaten ze naast elkaar en genoten zwijgend van de koek waarvan Lidy gulle plakken had afgesneden. Ze staarde naar de dobber die meedeinde op het water.

'Het was een slechte middag,' deelde haar vader na zijn laatste hap mee. 'Niet één keer heb ik beet gehad. Ik heb wel drie keer overwogen ermee te stoppen, maar steeds hoop je weer dat het toch nog zal lukken en zo blijf je maar zitten.'

'Ik had een goede middag,' zei ze. Haar stem haperde een beetje. Hij keek haar van opzij aan en zag de tranen op haar wangen. Even wist hij niet goed wat hij moest doen, maar toen legde hij toch troostend een hand op haar arm. 'Vertel maar,' moedigde hij aan.

'De waarheid is eindelijk boven water gekomen.' Ze legde haar handen om de warme beker heen en vertelde van het bezoek van Hans Cremers, maar ook van haar bezoek aan de ouders van Reinier. 'Ik weet zelf niet wat ik ervan verwachtte,' eindigde ze haar betoog. 'Ik wist alleen op dat moment dat ik woedend was. Misschien wilde ik hen bezeren zoals ik zelf de afgelopen tijd bezeerd ben. Gisteravond haalde Menno Constantijn op en toen vertelde hij me doodleuk dat hij rector aan een scholengemeenschap in Rotterdam wordt. Hij heeft geen moment rekening gehouden met zijn zoon. Bovendien weet ik dat Aimée inmiddels ook naar een andere school is gegaan. Ze verhuist naar Den Haag. Je hoeft niet heel veel fantasie te hebben om te weten waar dat straks in zal eindigen.'

'Hij heeft het knap gespeeld.' Haar vader hield zijn bekertje voor haar neus. 'Schenk me nog maar eens in. Ik word er lekker warm van.'

Hij probeerde tijd te winnen en vroeg zich af wat Jenny nu zou hebben gezegd. Koortsachtig dacht hij na. 'Ik begrijp je pijn,' begon hij voorzichtig. 'Je hebt de slechtste kant van het leven ontdekt. Mensen hebben je bedrogen. Mensen die je liefhad, die je vertrouwde, die je wilde helpen. Dat laat sporen na, kind. Sporen die niet zomaar uit te wissen zijn. Je hebt tijd nodig, en dan zul je merken dat tijd wonden heelt. Na het overlijden van mamma heb ik me tijden lang verloren gevoeld. De eerste maand na haar overlijden wilde ik het liefst zelf ook niet meer leven. De maand daarop ontdekte ik dat ik haar rozen water zou moeten geven, wilden ze niet verdrogen. De volgende maand kocht ik een nieuw overhemd met korte mouwen omdat het zo warm was. Ik ging met Lidy fietsen en zag de schoonheid van de natuur. Elke maand deed ik zo een stapje vooruit.'

'Jij hebt van mamma gehouden, en mamma hield van jou. Dat maakt een wezenlijk verschil met mijn situatie.'

'Daar heb je gelijk in. Toch is er ook een overeenkomst. Ik zou kunnen blijven hangen in mijn verdriet. Jij kunt blijven hangen in je wrok. Daardoor zie je de mooie dingen in het leven niet meer. Het valt je niet langer op dat na de winter de lente komt. Je kunt niet meer genieten van een zonsondergang. Je ziet de vriendelijkheid van mensen niet meer. Ik vraag je niet te doen alsof je geen pijn en verdriet hebt. Je moet het allemaal verwerken. Neem de tijd, maar laat het uiteindelijk los. Wrok is nog erger dan verdriet. Het maakt je leven bitter als gal.'

Hoe had Menno haar vader dom kunnen vinden? Ze dacht aan die avond toen ze bij hem had gegeten en hem had verteld dat Menno en zij gingen scheiden. Psalm honderdnegenendertig had hij toen voor haar gelezen. Dat was zijn manier van troosten geweest. Ze kon zich geen betere manier bedenken.

'Bedankt, pa.' Heel even legde ze haar hoofd tegen zijn mouw, zoals ze ook had gedaan toen ze een klein meisje was. Hij legde zijn hand op haar hoofd, zoals hij in die tijd ook altijd deed. Ze voelde zich veilig en geborgen.